包丁と砥石の種類、研ぎの実践を網羅した決定版！

包丁と砥石
大全

一般社団法人 日本研ぎ文化振興協会◎監修

誠文堂新光社

はじめに

包丁に限らず、全ての刃物は研ぐことにより、切れ味が生まれます。さまざまな対象を切るための道具として、刃物は遠い昔から使われ、そして進化してきました。その傍らには、常に切れ味を維持するための砥石がありました。

現代社会において刃物は、替え刃式や使い捨てといった、簡易的な物が増え、「研ぐ」という行為は私たちからどんどん遠ざかっているように見受けられます。

そんな中、和食がユネスコ無形文化遺産に登録されました。これを機に、和食を支えてきた包丁、そして包丁の切れ味を支えてきた砥石と研ぎの文化を、あらためて認識していただくための一助として、本書が役立てば幸いです。

目次

写真で見る
包丁の種類

包丁にはたくさんの種類がある。それは一頭の牛、一尾の魚が料理になるまでの工程に必要な道具として、扱いやすい形へと進化した結果なのかも知れない。

そしてそれは単に形だけの違いでは無く、鋼材や構造の違いなど実にさまざまな要素を含み、その意味を知ってこそ、正しい包丁選びの知識が得られるのだろう。

協力　月山義髙刃物店
写真　山口祐康

和包丁

「日本人の伝統的な食文化」として、和食が世界に注目される現在、その調理道具として「和包丁」も注目されている。

「切る」という単純な行為のみで料理として成立してしまう、刺身をはじめとする鮮魚を活かした料理など、和食調理の現場では、日本ならではの包丁が活躍する。

とりわけ種類が多い日本の包丁。まずはその種類から紹介する。

魚のサクを切る包丁

柳刃包丁

もともとは関西方面で使われていた刺身用の包丁で、関東では「たこ引包丁」と呼ばれる包丁を刺身包丁として使用していた。現在では全国的にこの柳刃包丁を刺身包丁として使用する職人が多い。

魚の繊維を押しつぶすことなく引き切るため、刃渡りは長く、きりっとした刺身の角を作るため刃先は薄い。

切っただけで料理となる刺身は、鋼材による味の違いが出やすい。そのため職人は特に鋼材にこだわって包丁を使う場合がある。

本職は八寸から一尺二寸ほどの刃渡りのものを揃えて、切る魚の大きさによって使い分ける。釣り人や料理を趣味にする人が増え、一般家庭でも使用される人が増えたが、家庭用には七～八寸くらいのほうが使いやすい。

柳刃包丁（一尺）　その名の由来が形状からもわかる。

柳刃包丁（八寸）

柳刃包丁（一尺二寸）

柳刃包丁（一尺一寸）「本焼」玉鋼を使用した珍しいもの。刀匠による作。

柳刃包丁（一尺一寸）「本焼」

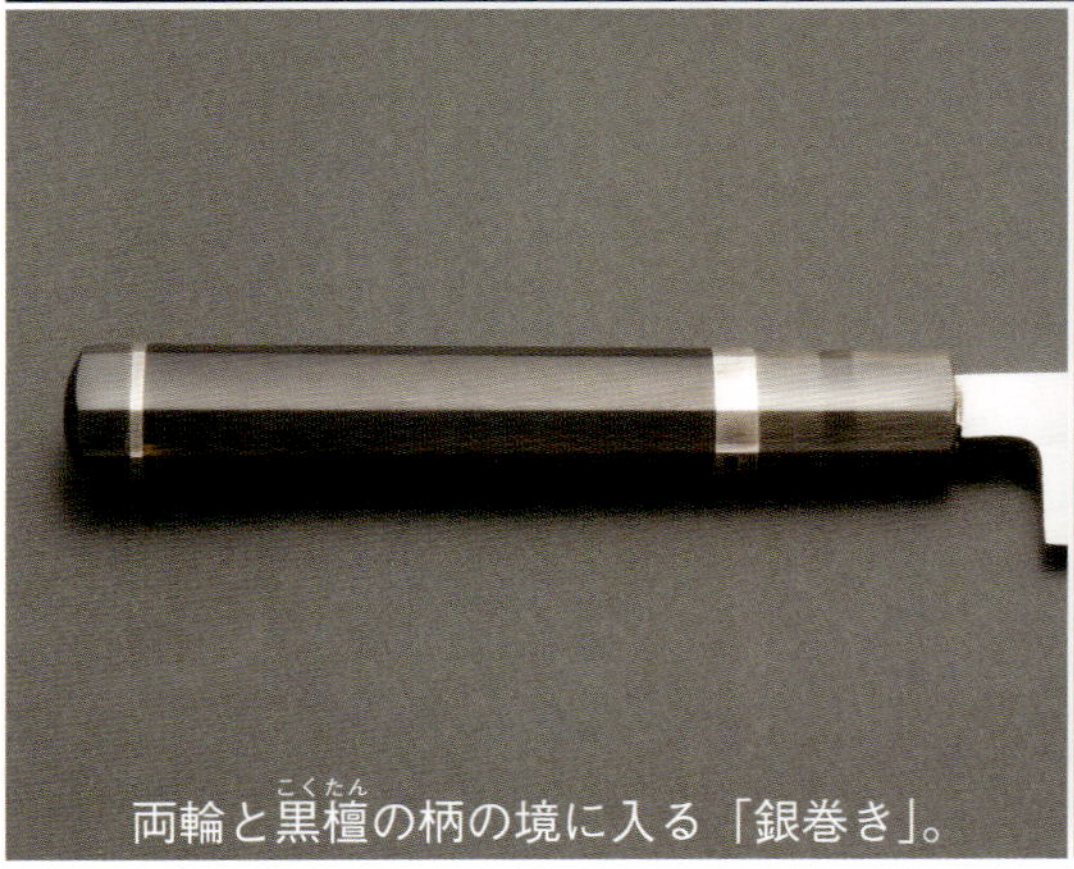

両輪と黒檀《こくたん》の柄の境に入る「銀巻き」。

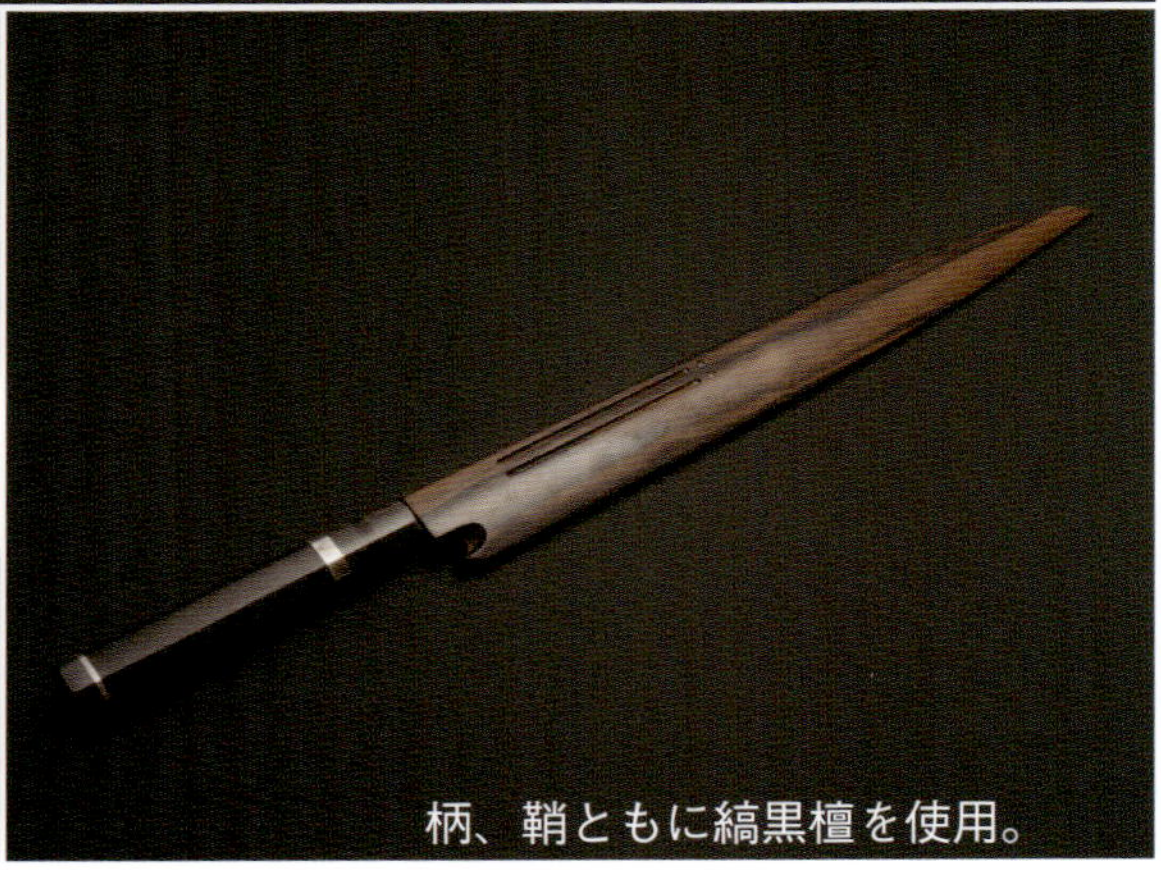

柄、鞘ともに縞黒檀を使用。

柳刃包丁(本焼)

日本の包丁は地金に鋼を鍛接・鍛造してつくるものが多いが、この「本焼」は全て鋼である。全て鋼でありながら、切刃《きりは》側と峰側で硬さを変えるため、「土置き」という焼入れ前の工程があるのが特長だ。

日本刀と同じように、焼入れ前に刃全体に土を塗るが、峰側には厚く塗り、焼きが入らないようにし、切刃の部分には薄く塗ることで刃の部分のみ焼きが入るようにする。

鋼材にも白紙を使用することが多く、良い包丁を作るには高い技術と手間を要する。そのため「合わせ」と比較すると高価なものが多い。良く切れる分、欠けや割れにはデリケートな刃物なので、取り扱いにもそれなりの技術を要する。

高価なものなので口金と柄尻の両方に輪の入った「両輪」や、黒檀の柄など、装飾的なこだわりも魅力となる。

柳刃包丁（一尺）　滑りにくく、抗菌性、耐久性のある漆柄を使用。

黒漆で仕上げた柄。

朱漆の上から黒漆を塗り、研ぎ上げた柄。

お箸の塗りに使う「乾漆粉」を使用した仕上げ。

柳刃包丁（一尺）　中子の部分のみ熱して、柄を挿げる。

柄のサンプル。
左から「半丸」、「八角」、「丸しのぎ」、右２本は「半丸」にたこ糸を巻き漆で仕上げたもの。

和包丁の柄

和包丁に使われる柄の材料は、朴の木が最も一般的だろう。高級な包丁や、装飾性を意識した包丁には黒檀なども用いられる。また見た目の美しさと、滑りにくさなどの実用性も兼ね備えた漆塗り仕上げなども人気がある。

材料や仕上げのほか、柄の形状にも種類がある。包丁を持った状態で下側が丸く、上側が角になっている「半丸」、全体が角張った「八角」、握りの一カ所だけ角がある「丸しのぎ」など、使い手の好みで選べば良い。

普通、包丁は柄が挿げられた状態で販売されているが、中には柄を選べる、セミオーダー的な注文を受けてくれる販売店もあるので、柄のサンプルなどを握ってみて、自分に合うものを選ぶのも良いだろう。

たこ引包丁

関東で刺身包丁として使われていた「たこ引包丁」。切っ先が四角く、刃が直線的なのが特長。直線的な刃を活かし、流し物（寒天など）、柔らかくて大きなものを切るときにも使える。

切付け型柳刃包丁

関東で使われ始めたもの。切っ先が切付け包丁のように斜めに切れている。

姿が良く、切っ先に幅があるため安定感のある研ぎができる。ただし全体的に重くなりやすい。

ふぐ引包丁

ふぐの身を切り分け、刺身にするのに使用。ふぐは薄く切るため、柳刃よりさらに薄くできている。また刃線も柳刃より直線的に作られている。

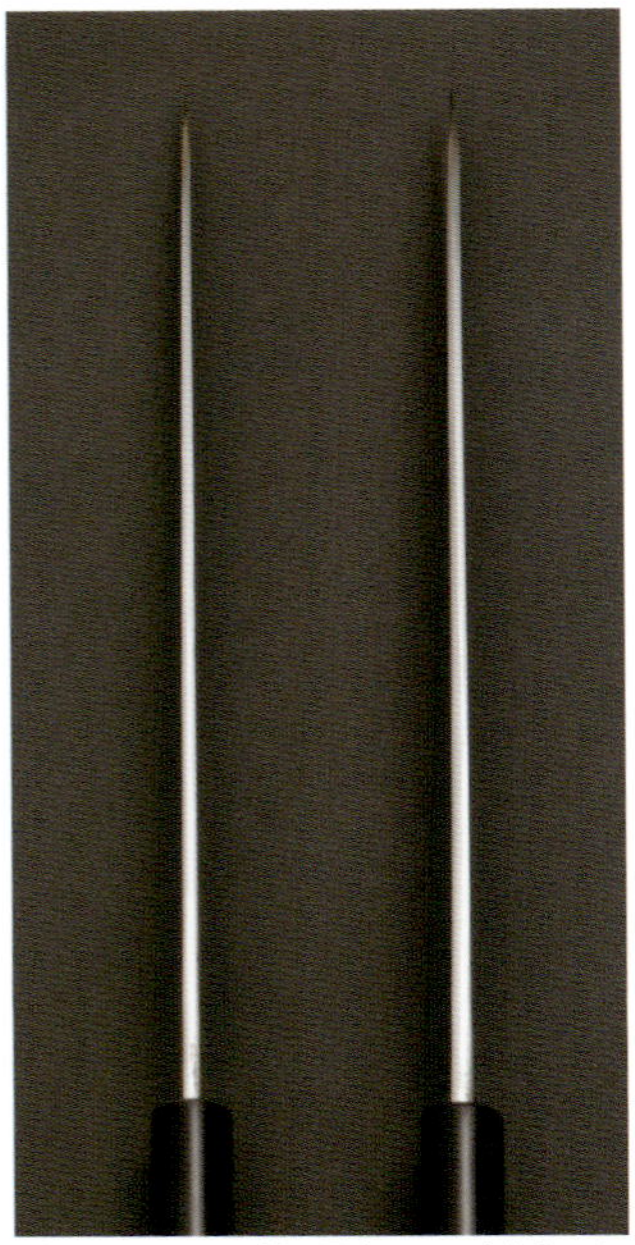

峰からみた柳刃包丁（右）とふぐ引き包丁。厚みの違いがわかる。

たこ引包丁（九寸）　直線的な刃を持つ包丁。

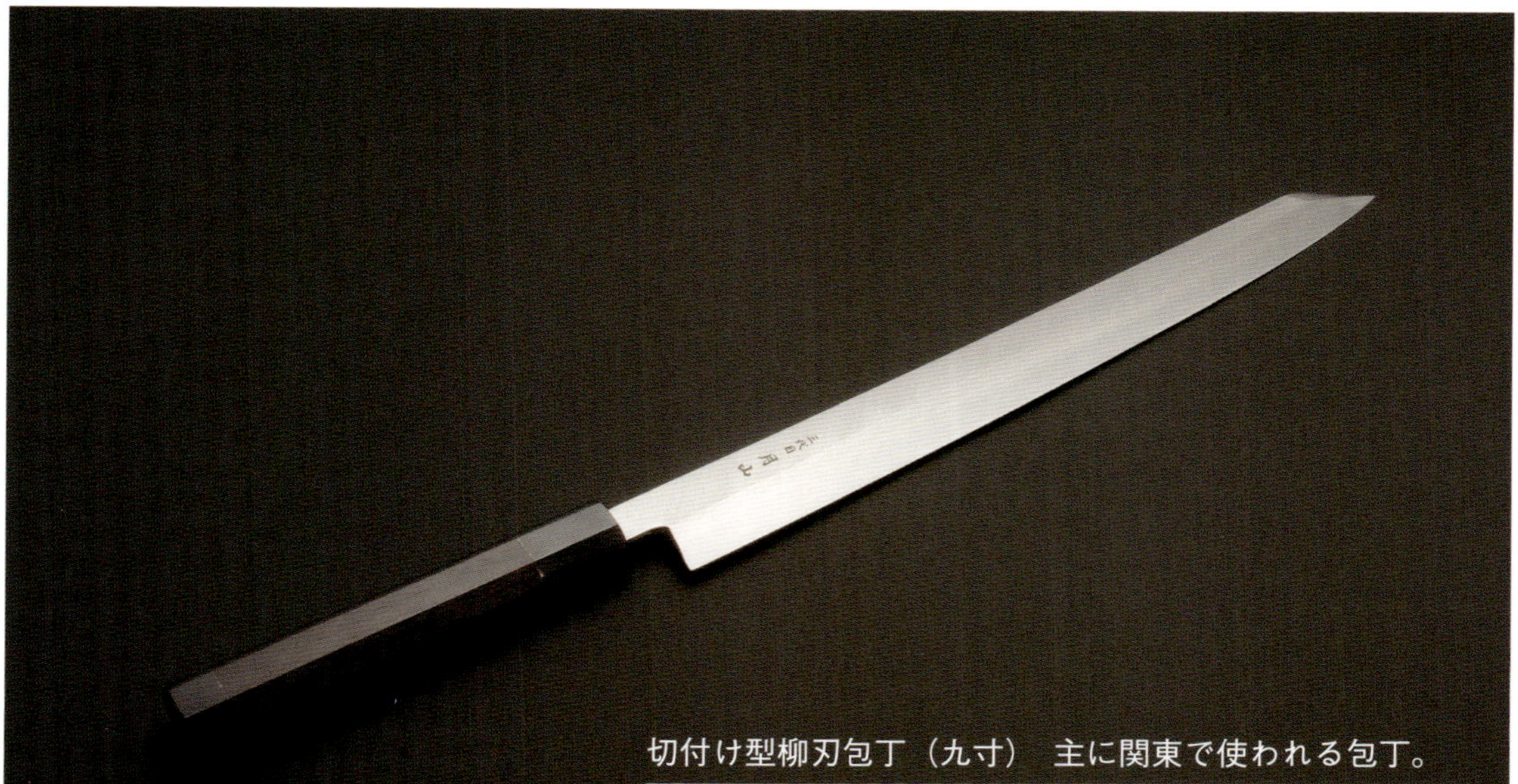

切付け型柳刃包丁（九寸）　主に関東で使われる包丁。

黒檀の角柄を使用し、両輪としている。

ふぐ引包丁（九寸）　柳刃包丁より刃が直線的にできている。

魚を捌く包丁

出刃包丁

魚を解体するのに無くてはならない包丁。硬い骨を叩き切ったり、三枚におろす時に使う。そのため峰が厚くしっかりと作られているが、切っ先は薄く鋭利な刃を持つ。

以前は各家庭にあったが、魚屋さんで丸ごと1本魚を買っても、最近ではその場で捌いて持ち帰れることが多く、またスーパーでは捌いてパックされた状態の魚を買うことが一般的になったため、家庭から出刃包丁はその姿を消していった。

本職は魚の大きさにより使い分けるため大小さまざまな出刃包丁を揃える。また、本職にとっては使用頻度が高い包丁でもあるので、効率よく魚を捌けるよう使用目的を特化された出刃包丁もある。

片刃のものが一般的だが両刃の出刃もあり、カブト割りには最適。

本出刃包丁（六寸）　出刃包丁とほとんど同じに見えるがこちらの方が若干刃幅がある。

出刃包丁（六寸）　出刃包丁としてはスタンダードな長さ

相出刃包丁（六寸）　細身で厚みも薄く軽量。

身おろし出刃包丁（八寸）　出刃と柳刃の中間として魚屋さんが多用。中身出刃包丁とも呼ぶ。

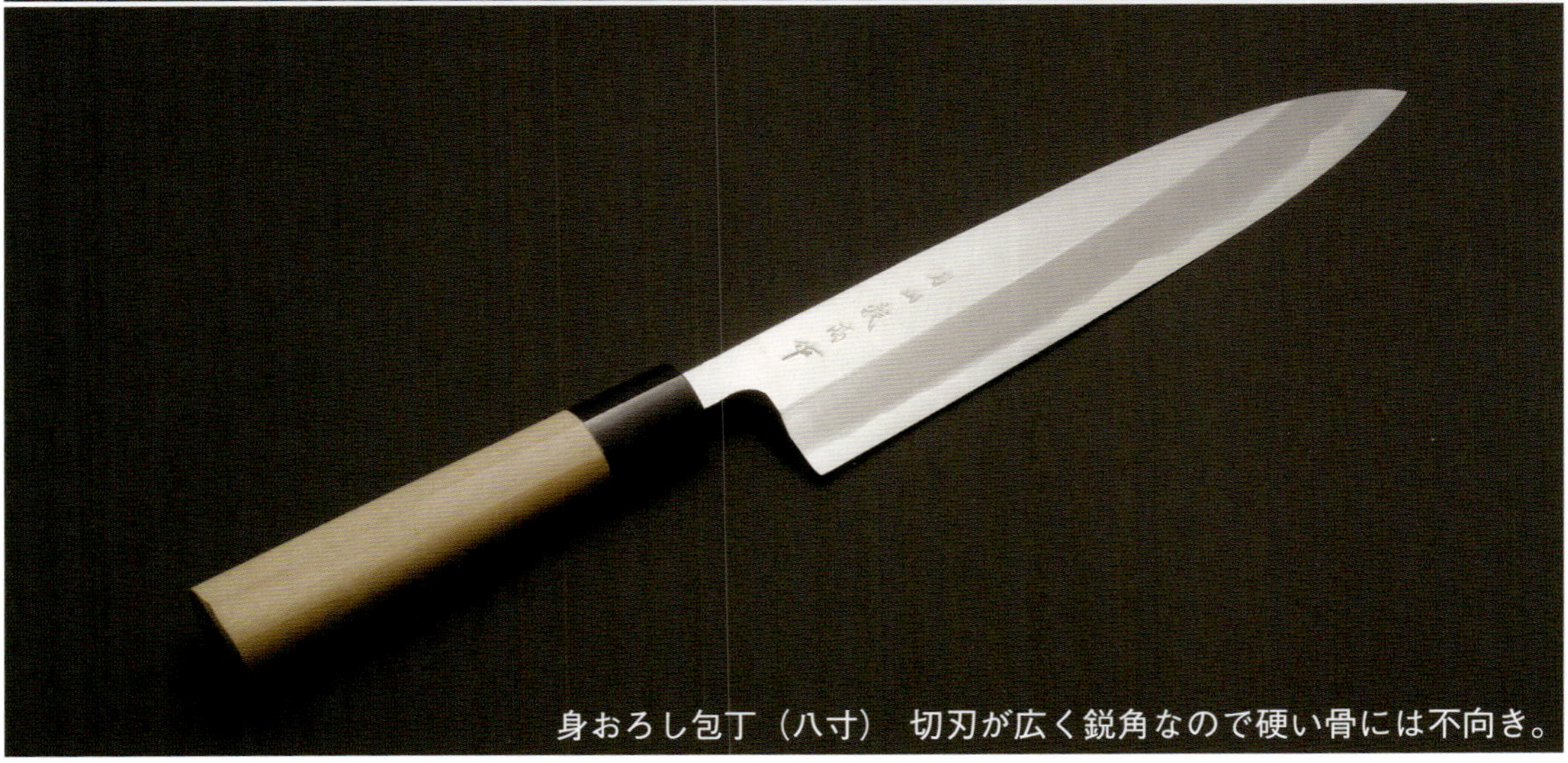

身おろし包丁（八寸）　切刃が広く鋭角なので硬い骨には不向き。

上の段（貝裂）は左から五寸、四寸五分、四寸、三寸五分、三寸、二寸五分。貝裂は五寸まで五分刻みで五寸より長いものは寸刻みで柳刃包丁となる。

関東では小型で薄い出刃包丁を鯵切り包丁という。関西では柳刃の小型化したものを鯵切り包丁または貝裂《かいさき》という。

出刃包丁はだいたい五分刻みで販売している。左から八寸、七寸五分、七寸、六寸五分、六寸、五寸五分、五寸、四寸五分、四寸、三寸五分。

野菜をむく、きざむ、飾り切る

薄刃包丁（関東型・七寸）　関東型は細工包丁と使い分ける。

鎌形薄刃包丁（関西型・七寸）
切っ先で細工物、まん中で桂むきなど用途が広い包丁。

むき物細工包丁（関東型・七寸）
切っ先で細工物、まん中で桂むきなど用途が広い包丁。

薄刃包丁

　和食に於いて、野菜はただ切るだけでは無く、桂むきや飾り切りなど細かい作業が要求される。それらの作業をこなすために、薄刃包丁が用いられる。関東、関西方面での形状の違いはあるが、それぞれに使う目的はほとんど同じと考えて良い。ただし関東型は切っ先が四角く、細かい細工は苦手とする。

　むき物細工包丁は関東型の包丁で、切っ先を使った細かい作業に向く。峰は薄刃包丁よりさらに薄い。

皮むき包丁

皮むきや面取りなどにも使える小型の包丁。刃渡り三寸から五寸程度のものが一般的。片刃と両刃があり、家庭用には両刃が使われることが多い。

鎌形の皮むき包丁は、球状の野菜を形に添って剥きやすい形状が特徴。

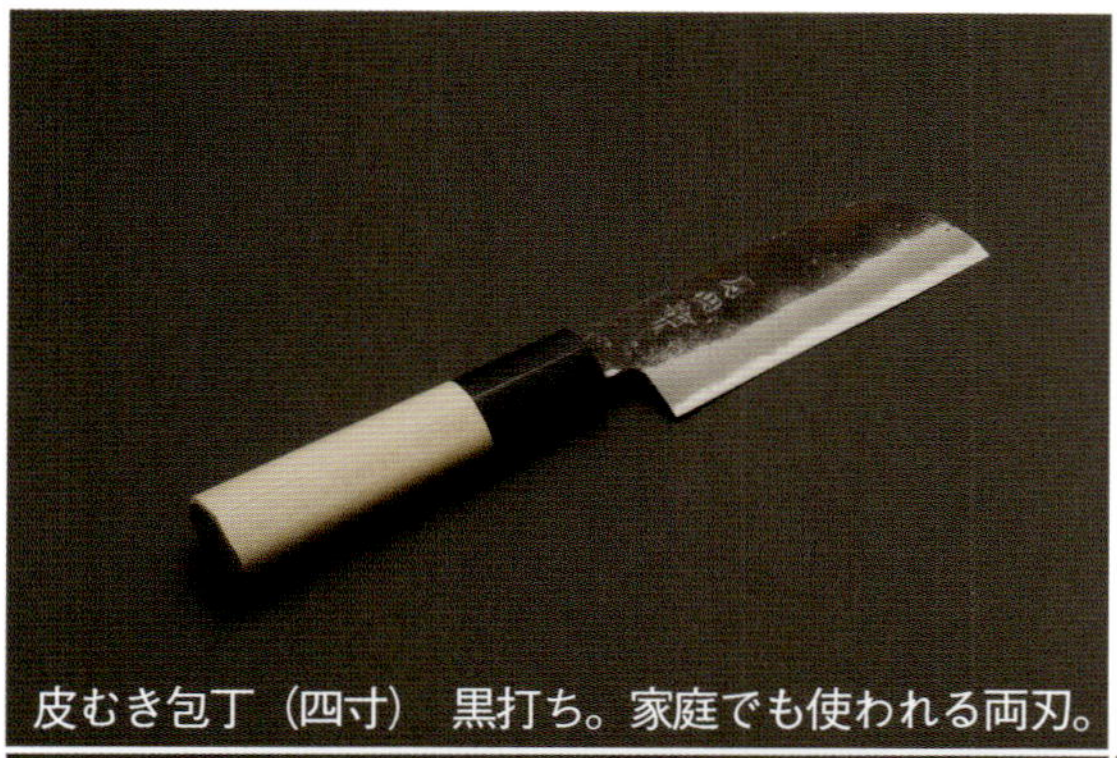

皮むき包丁（四寸）　黒打ち。家庭でも使われる両刃。

皮むき包丁（四寸）　片刃で一般的に使われるサイズ。

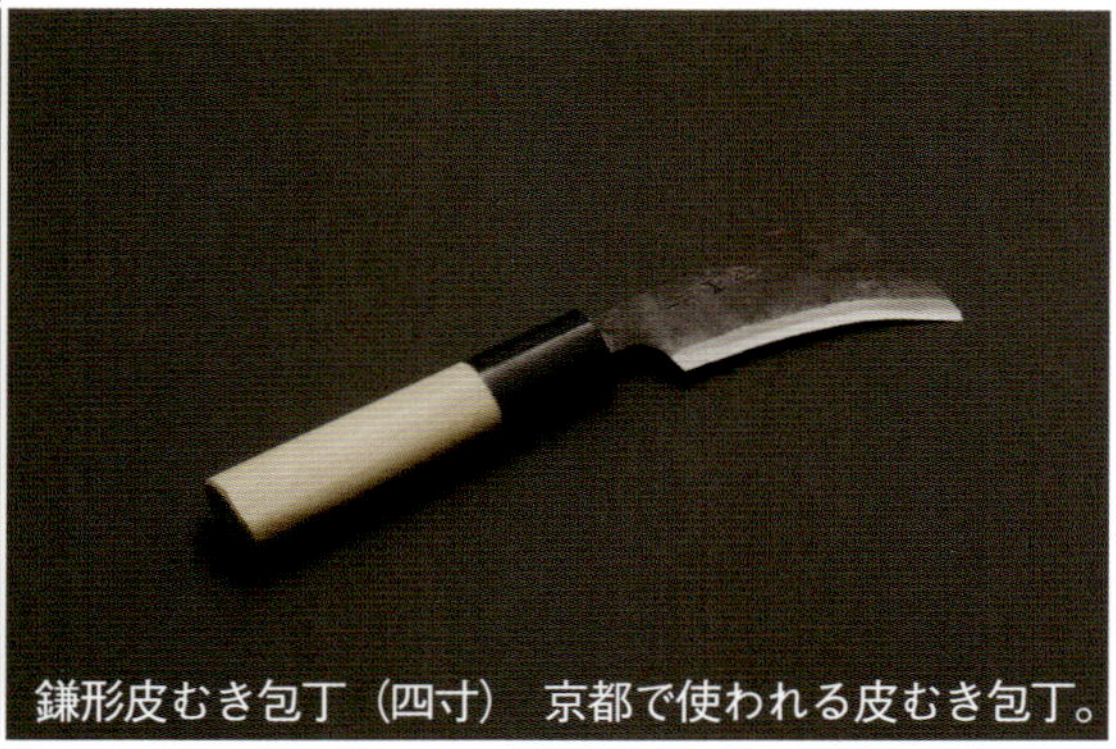

鎌形皮むき包丁（四寸）　京都で使われる皮むき包丁。

切付け包丁

切付け包丁は主に関東で使われてきた包丁。柳刃と薄刃の兼用で使う人も多い。

万能包丁としても使えるが、刃が直線的なので「流しもの・寄せもの」をきれいに切り分けるのに適している。

片刃と両刃のものがある。

切付け包丁（九寸）

切付け包丁（幅広・九寸）

和牛刀

和牛刀

牛刀は本来、西洋の包丁で肉野菜を問わず万能包丁として使われる。和牛刀も通常の牛刀と同じく両刃である。

洋牛刀との違いは「しのぎ」があるので、その他の和包丁と同じように研ぎやすい。

使い方も全く同じだが、和食の料理人の包丁の中に、１本だけ洋包丁が混ざるのを嫌いこの和牛刀を求める職人が多いという。

ステンレスの全鋼で作られているものも多いが、本職用のものは和包丁と同じように鋼にこだわったものがある。同じ牛刀でも仕上げの異なったさまざまな包丁を見ることができる。

和ペティ

和牛刀と同じく、こちらも和食の料理人がこだわって使う両刃のナイフ。使い方はペティナイフと同じ。

和牛刀（黒打ち・八寸）　刀匠が打った三枚打ちの銘品。

和牛刀（鏡面仕上げ・八寸）　ステンレス割り込み。

和牛刀（鎚目仕上げ・八寸）　ステンレス三枚打ち。

和牛刀（墨流し・八寸）　鋼材は青紙２号を使用。

和ペティ（鎚目仕上げ・五寸）

和ペティ（鏡面仕上げ・五寸）

特殊な包丁

出刃包丁や柳刃包丁のように、目的によって使い分ける包丁に対し、切る対象と用途が決まっている専用包丁を特殊包丁として分類する。

鮪切り包丁（二尺）　鮪の解体に使用する包丁。寿司屋やスーパーでおこなわれる鮪の解体のデモンストレーションなどで目にする機会が増えた。市場では解体作業に現役で使用しているところも多い。

鰻裂き包丁（関東型・六寸五分）　関東で使われる鰻裂きは背開き専用。柄が短く峰側の柄尻は手当たりが良いように斜めに切ってある。

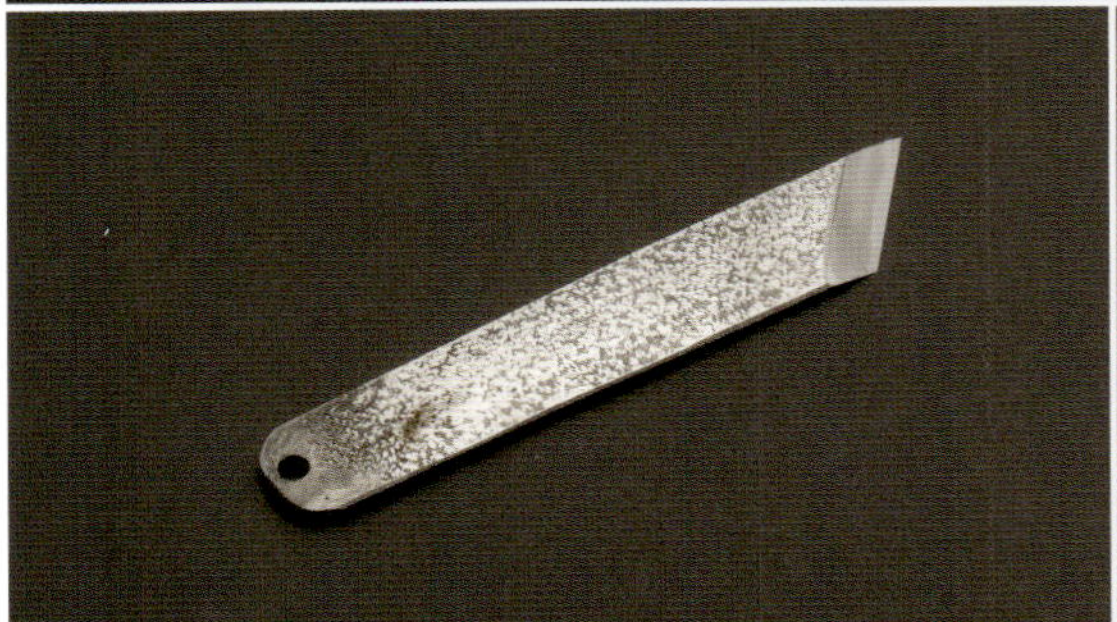

鰻裂き包丁（大阪型・一寸五分）　切り出しに似た形の大阪型。大阪は腹開き専用に作られている。

ドジョウ裂き包丁（関東型・四寸）　こちらも関東の型で、鰻裂きより小ぶりにできている。

鰻裂き包丁（京型・二寸五分）　峰側で目打ちを打てるように、ハンマーのような形状になっている。

鰻裂き包丁（伊勢、名古屋型・三寸五分）　ウナギを傷付けないように峰の先が面取りしてある。

鰻裂き包丁

関東と関西では同じ使用目的で形状の異なる包丁がいくつかある。中でも鰻裂き包丁は、地域による形状の差が大きく、同じ魚を捌く包丁とは思えないほど違うので面白い。

これには鰻の調理方法が関係している。一般的に鰻は関東では背開き、中部より西の地域では腹開きに捌く。そのため背開き、腹開き専用の包丁として作られているが、これだけ形が違うのは、ぬめりが強く細長い鰻を捌くために、それぞれの地で裂きやすいように工夫を凝らしながらも、全く違った進化をしてきたからではないかと思われる。

また伊勢、名古屋型は腹開き専用という説もあるが、業者は「両開き用」と呼んでおり、腹開きにも背開きにも使われているようだ。

鱧切り包丁

硬い小骨が非常に多い、鱧の「骨切り」に使う包丁。皮を切らないように細かい切りこみを入れて小骨を切断するための専用包丁。

鱧切り包丁（一尺）

寿司切り包丁

巻き寿司、押し寿司を切る包丁。シャリや具を壊さないように工夫された包丁。両刃で幅が広い。

寿司切り包丁（八寸）

鮭切り包丁

塩鮭などの大きな魚を、皮、骨ごと切り身にするため、同じ大きさの出刃より薄くできている。季節によって大量に捌く必要があり、実用性を重視した黒打ちのものが一般的。

鮭切り包丁（九寸）

餅切り包丁（両手・八寸）

餅切り包丁

お餅は搗《つ》いた後、ある程度硬くなってから切る。そのための包丁で、刃を上下に動かして使うため丸みを帯びた刃が付く。両手持ちのものと片手のものがある。

餅切り包丁（片手・八寸）

餅切り包丁（片手・一尺五寸）藁切りのように木の板に柱を立て、刃の先をボルトで固定して使う。

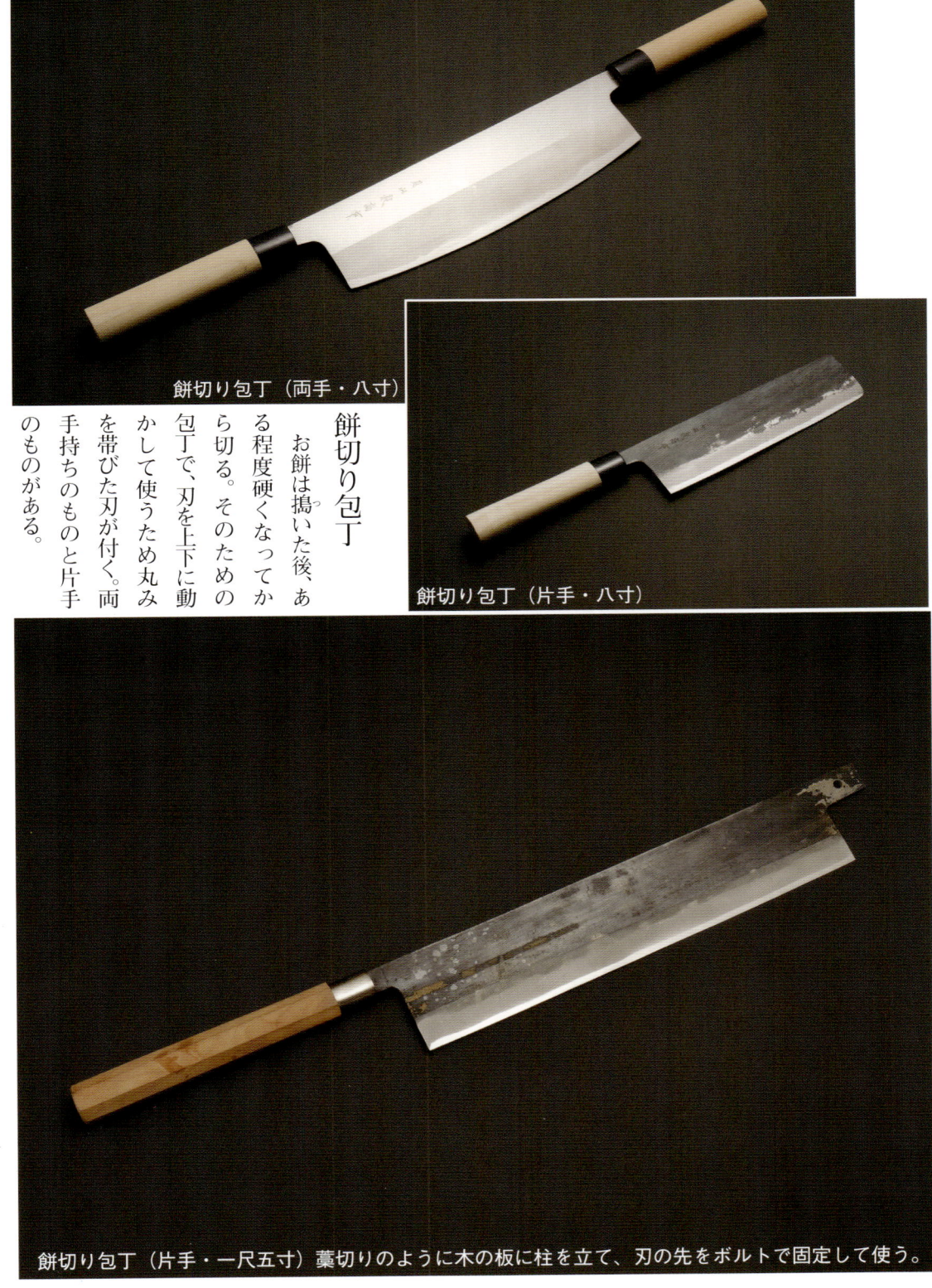

麺切り包丁（蕎麦切り包丁）

独特の形状をした蕎麦やうどんを切るための片刃包丁。刃の重みを利用し、垂直に押し切るように使う。職人向けのものは持ち手が無く、使用者が紐やグリップなど、自分に合ったものを巻いて使う。

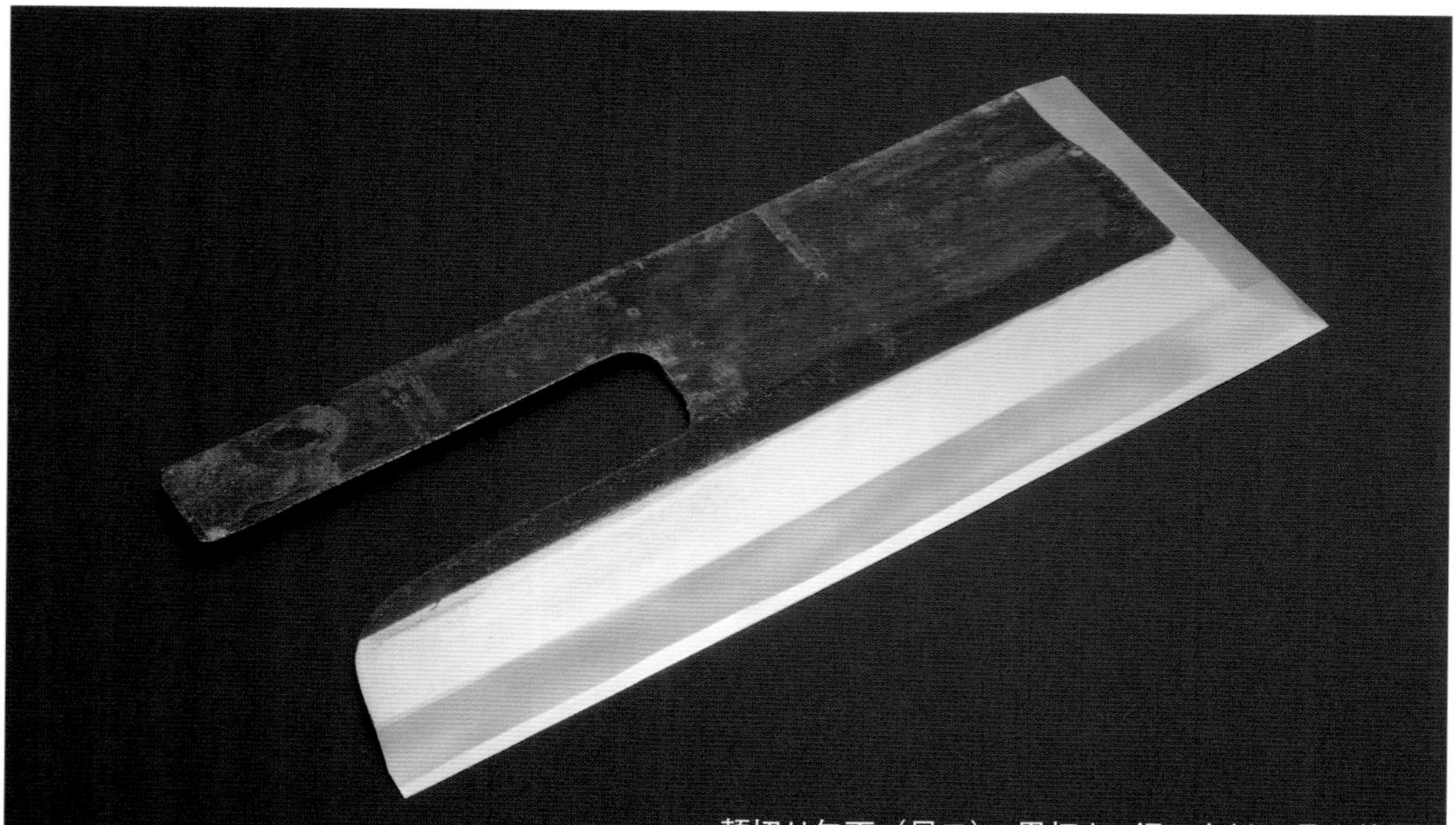

麺切り包丁（尺二）　黒打ち、鋼は白紙２号を使用。

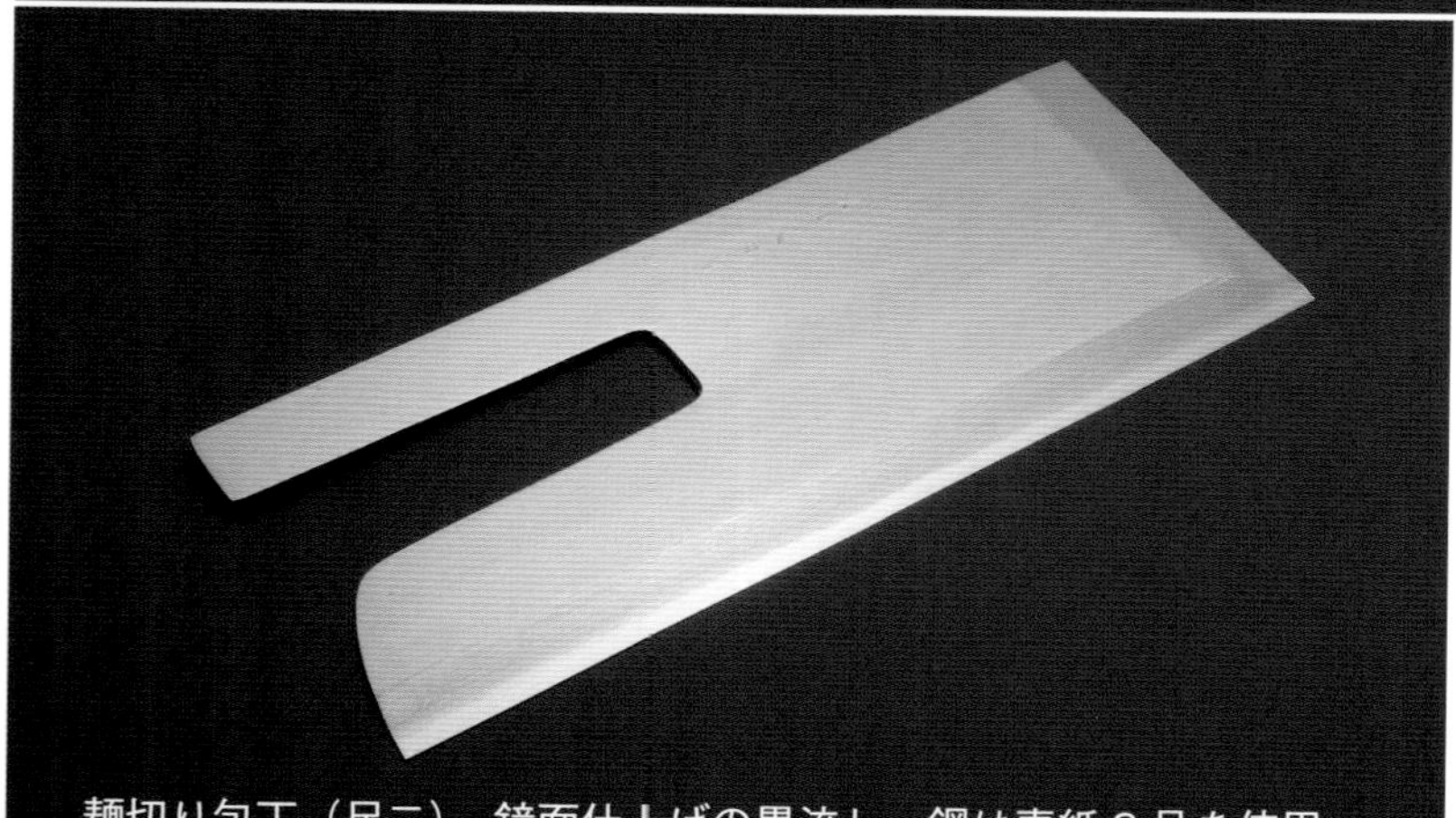

麺切り包丁（尺二）　鏡面仕上げの墨流し。鋼は青紙２号を使用。

麺切り包丁（一尺）　鋼はモリブデン鋼を使用。柄は洋包丁と同じ鋲どめ。

〆包丁

漁師や養殖業者が使う〆専用包丁。手際よく、しめることだけを目的としている包丁。そのために握りやすい形状をしている。

〆包丁（四寸五分）

冷凍包丁（牛刀手付き・尺一）

冷凍包丁（両手・一尺）

冷凍包丁（家庭用・八寸）

冷凍包丁

凍った食材を普通の刃物で切ると刃こぼれをする危険がある。冷凍包丁は凍ったものを切るための包丁。家庭用には鋸状の刃のものもある。

和三徳包丁（五寸半）　墨流し。鋼材は青紙２号。和三徳は他の和包丁と同じく柄を替えられる。

菜切り包丁（五寸半）　西で使われる菜切り包丁は、刃元が角張っている。

和三徳包丁（五寸半）　黒打ち。鋼材は白紙１号。

菜切り包丁（五寸半）　京型は切っ先が少し反りあがる。

菜切り包丁（五寸半）　関東型は柄が短く、刃元が丸いのが特長。

家庭で使う包丁

和三徳包丁

肉、魚、菜を１本の包丁で済ませるための家庭用包丁。和と洋の違いは主に柄にある。鋼材も錆びにくく扱いが楽なステンレス製から、本格和包丁と同じ鋼材を使用したものまで種類が豊富。

切っ先を斜めに切り落としたように尖らせた文化包丁と、現在では同じ扱いをされることが多い。

菜切り包丁

菜と魚が食材のほとんどを占めた時代には菜切り包丁が家庭での主役であった。魚を捌く時に使う出刃包丁と使い分ける習慣は、魚が切り身で売られるようになって衰退したのだろう。とはいえ硬い根菜などを切るには、素材を割ることなく切れる便利な包丁だ。

洋包丁・中華包丁

明治以降、日本に西洋料理や中華料理が伝わると、包丁も多くのものが伝わってきた。その代表が牛刀だろう。

食生活の変化は、家庭で使われる包丁にも変化をもたらした。

三徳包丁の誕生である。現在、家庭で一番使われているであろうこの包丁も、日本の食文化や、食品流通の変化により普及していったのだろう。

洋包丁の代表格

牛刀

和包丁と比較すると種類が少ない。基本的には牛刀で肉、魚、野菜すべてに使える。

その扱いやすさから、和食の世界でも用いられ、柄を和包丁と同じように設えた「和牛刀」もある。

本来の牛刀は全鋼のものが一般的だが、地金で鋼を挟んだものや、錆びにくいステンレス鋼を挟んだものもある。

使用範囲が広く、利用者もプロアマ問わず使用する包丁なので、柄に鹿の角を使用したものや銘木を使ったものなど、意匠的なものも多い。

ペティナイフ

牛刀の小型のものといった感じのナイフで、果物などの皮むきや細工切りに使われる。刃渡りは通常90㎜～150㎜。

牛刀（240㎜）　鍔の部分まで鍛地《きたえじ》になっている。新潟の重房作。

牛刀（240㎜）　刃材は粉末ハイスの三枚合わせ、地金はステンレス。

牛刀（240㎜）　刃材にＶ金１０号を使用し、地金は積層鋼。食洗機対応型の柄を使用。

ペティナイフ（130㎜）粉末ハイスを使用。

ペティナイフ（130㎜）Ｖ金１０号を使用。

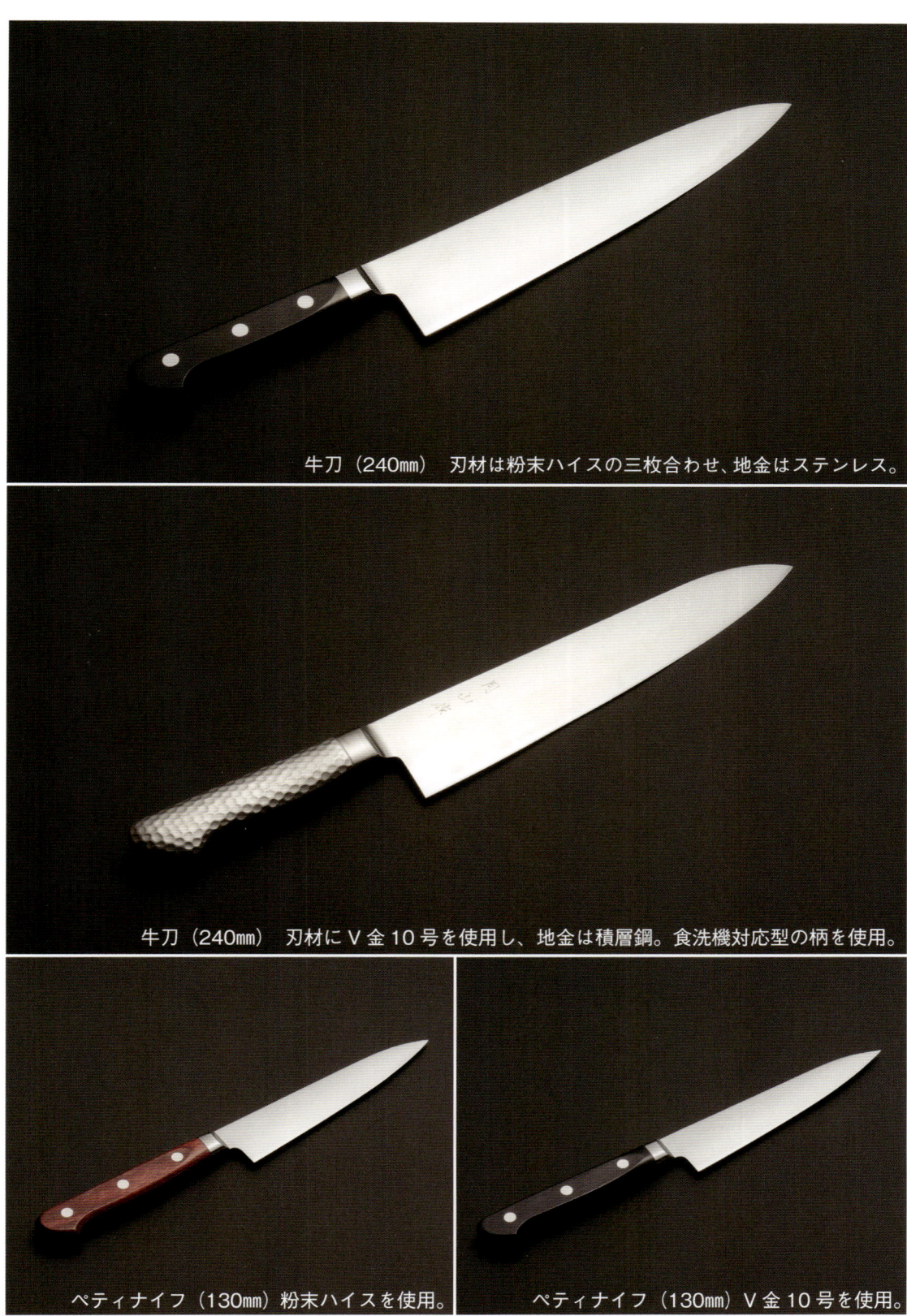

筋引き

肉用の包丁で、大きな肉の筋に沿って部位を切り分けるための包丁。洋包丁には肉を分解するための包丁が比較的多い。最近は刺身を切るのに使う人も増えた。

洋出刃包丁

西洋では出刃も両刃で、魚だけでなく肉にも使用する。見た目は牛刀に似ているが、刃の板厚が非常に厚く、頑丈にできている。

筋引き（240㎜）　使用している刃材は上からＶ金10号、粉末ハイス、スウェーデン鋼。洋包丁の中では細身な包丁。

洋出刃（240㎜）　刃材はモリブデン鋼。上から見ると牛刀と変わらない形をしているが、ブレードの厚みは３倍くらいある。

肉屋専用の包丁

骨すき包丁

骨から肉を切り離すために使用する包丁。角は刃が三角形に近い形をしており、丸は柄と刃元が同じ幅になっているため、刃元には刃を付けないで使用することが多い。これらの包丁は、主に精肉業者が鳥や牛の解体に使うもの。

丸型は包丁を逆手に持ち、吊した肉を解体する時に使う。

骨すき包丁（角・150㎜）

骨すき包丁（丸・150㎜）

皮はぎ包丁

肉の皮をはぐのに使用する包丁。イノシシや鹿などの皮をはぐ目的にも使用するので、狩猟家にも愛用される。

皮はぎ包丁（180㎜）

腸裂き包丁（150㎜）

骨切り包丁（チョッパー・150㎜）

骨切り包丁（チョッパー）

包丁の厚みと重さで骨ごと叩き切る包丁。骨付き唐揚げを扱う専門店ではよく使用されている。

腸裂き包丁

チューブ状の腸を開くための包丁。貫通させないように刃の先端が丸くなっている。

頭取り包丁（鳥用・150㎜）

頭《かしら》取り包丁（鳥用）

鶏専用の頭を落とす包丁。鶏肉の専門業者などで使用されるもので、一般的にはあまり見かけることがない包丁だ。

頭落とし包丁

本来は豚などの家畜の頭を落とすための包丁だが、機械で解体するのが一般的になり、使用される機会が少なくなった。最近は鮪の頭を割るために使うことが多い。

頭落とし包丁（240㎜）

家庭で使う包丁

三徳包丁

和三徳同様肉、魚、菜を１本の包丁で済ませるための家庭用包丁。

三徳包丁（165㎜） V金10号を使用。

三徳包丁（165㎜） 粉末ハイスを使用。

パン切り包丁

鋸のような刃の付いた、パンやケーキを切るための包丁。刃がまな板に強く接地しない構造なので食材でしか刃落ちしない。家庭では研ぐことが困難だが、固いものを切る包丁ではないので、ながく使える。

パン切り包丁（300㎜） 柔らかいパンを潰さないように切る包丁。

中華包丁（225㎜）　鋼材は白紙２号を使用。

中華包丁

中華包丁

中華料理では、ほとんどの作業をこの中華包丁でこなす。本職は厚みと重さで何種類かの違うタイプのものを持つが、基本的な形は同じ。上の写真の「6」の刻印は刃の厚みを表す数字。「7」の方が厚くなる。

中華包丁（210㎜）　鋼材はSK材を使用。一般的な中華包丁に比べ丸みを帯びた形をしているものもある。

包丁の基礎講座

包丁を深く識るためには、形だけでは伝えられないものがある。

製造法、鋼材の種類、構造…

包丁に使われる鋼材一つとっても、時代の流れの中で、新しい素材が生まれ、普及している。

それでも昔ながらの製法、素材が今も使われる理由を考える上で、包丁の基礎を識ることは無駄ではない。

自分に合った包丁を選ぶためにも是非学んでおきたい基本を紹介する。

包丁の基礎知識

日本で使われる包丁の種類

包丁の種類は大雑把に分けると和包丁、洋包丁、中華包丁に分けられます。世界各国の調理場を見て回れば、まだまだ見たことも無いような包丁に出会えるかも知れませんが、ここでは日本の刃物専門店で手に入るものを中心に紹介します。

和包丁の特長

和包丁は言うまでも無く、日本が古くから使用し、発展してきたものです。目的があって、はじめて世に生まれるのが道具です。日本の包丁の種類が実に多彩なのは、和食の文化と密接に関わっていると考えてよいでしょう。

魚や野菜などの食材をただ切るだけでなく、美しく切り飾ることも求められる和食において、和包丁は必要に応じて種類を増やしていったのだと思います。また食材の大きさによっても使い分けるため、和包丁は種類だけで無く、大きさも細かく分かれています。

代表的なものは出刃包丁、柳刃包丁、薄刃包丁などで、構造としては片刃の包丁がほとんどです。切った断面の美しさを重視する、和食の伝統を支えている包丁です。

洋包丁の特長

洋包丁は明治以降、洋食とともに日本に輸入され、次第に普及しました。代表的なものが牛刀です。肉野菜万能型の包丁で、全鋼製の両刃が一般的です。

以前の日本では、肉を切ることがほとんど無かったため、家庭においては菜切り包丁を使うことが多く、現代のようにパックされた魚を買える文化も無い時代ですから、出刃包丁も揃えていました。次第に肉料理が家庭の食卓にも並ぶようになると、包丁もその需要に応えるように形を変えていきます。それが三徳包丁です。肉、魚、野菜全てを無難に切る、一般家庭で使われる代表的な包丁です。

包丁の各部名称

基本的な包丁の形は、切るための「刃」の部分と握るための「柄」の部分からできています。しかし和包丁と洋包丁では柄の付け方が違うので、形状が異なり、名称にも違いがあります。

また、地域により名称が異なる場合もありますが、ここでは和包丁の代表的な産地である堺で使われる名称を基に説明しています。

各部の名称（和包丁）

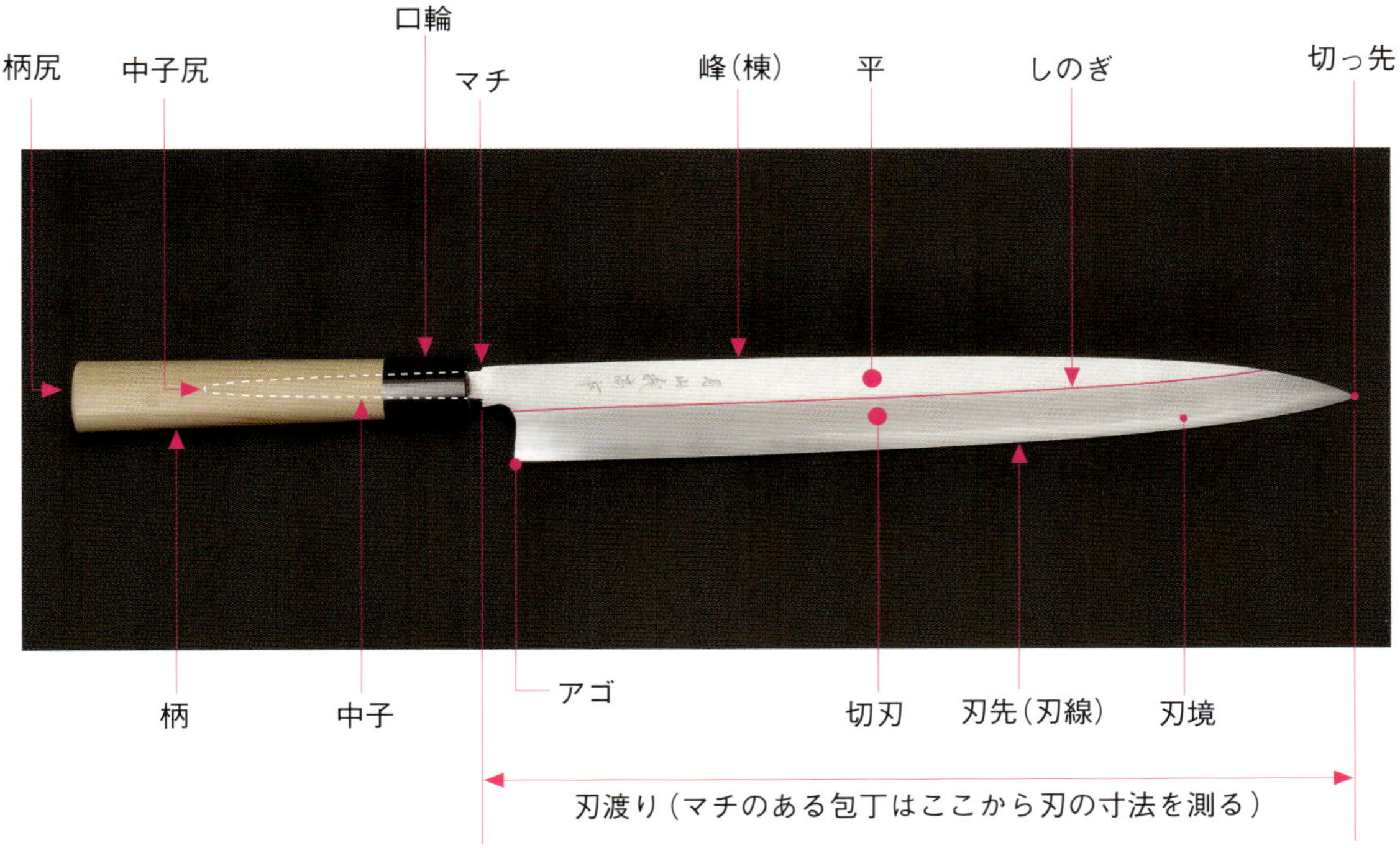
口輪
柄尻
中子尻
マチ
峰（棟）
平
しのぎ
切っ先
柄
中子
アゴ
切刃
刃先（刃線）
刃境
刃渡り（マチのある包丁はここから刃の寸法を測る）

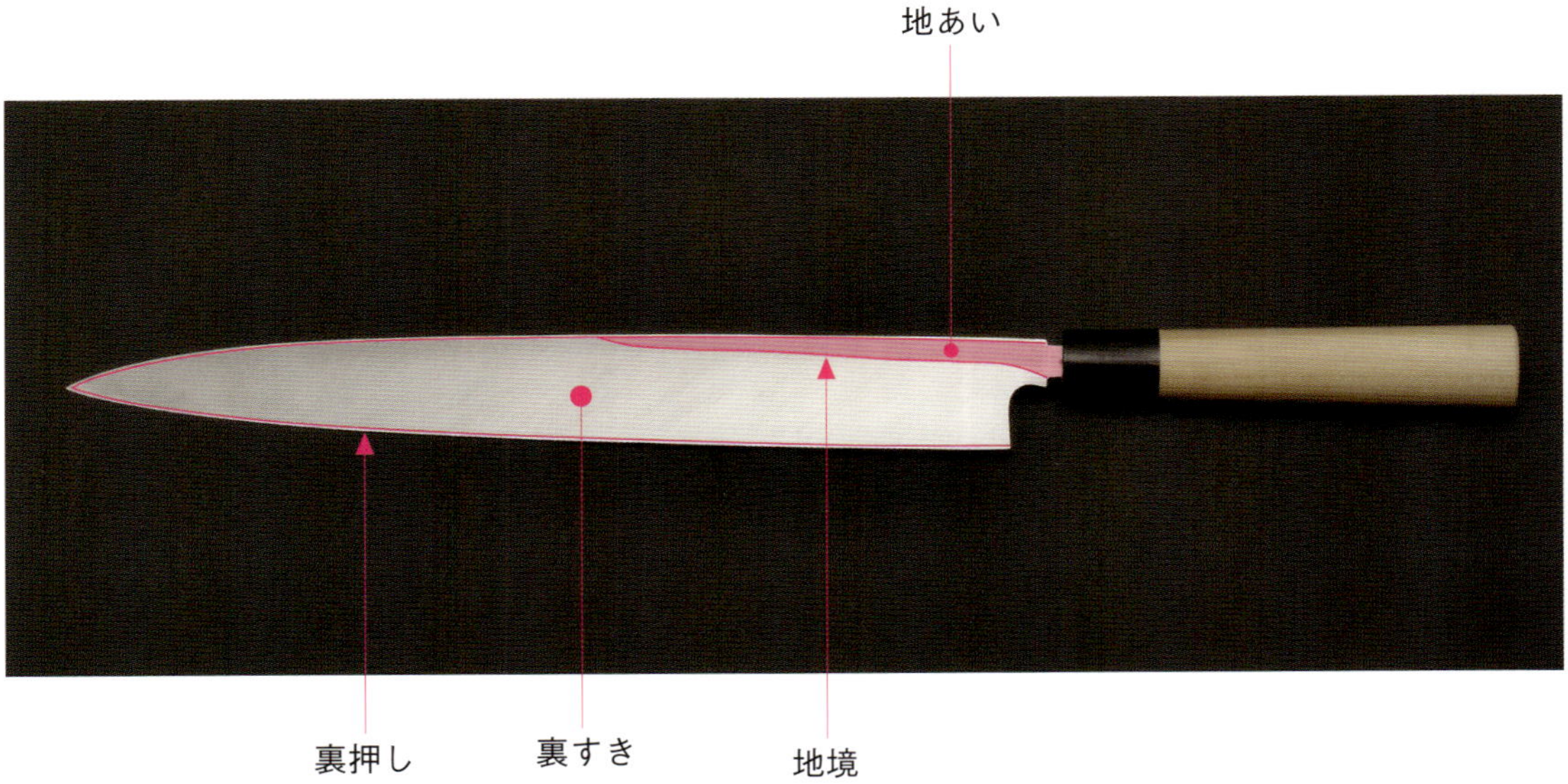
地あい
裏押し
裏すき
地境

マチは柳刃、薄刃包丁など、多くの和包丁に見られる。柄の挿げ方によっては見えないこともある。

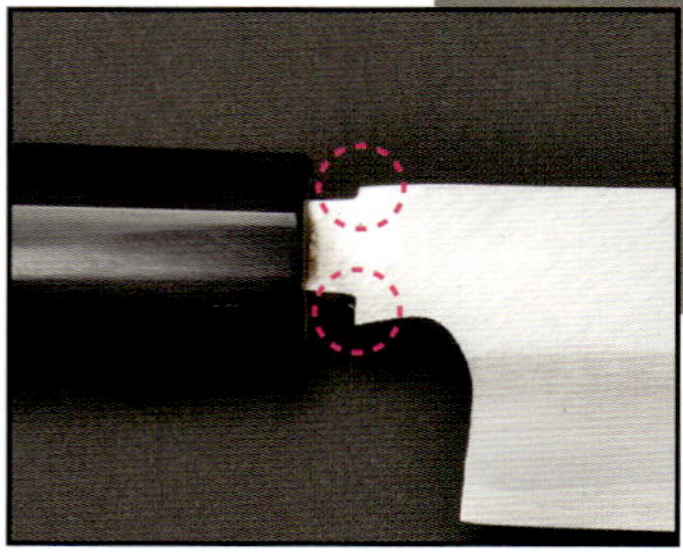

刃渡り（マチのない包丁はアゴから刃の寸法を測る）

各部の名称（洋包丁）

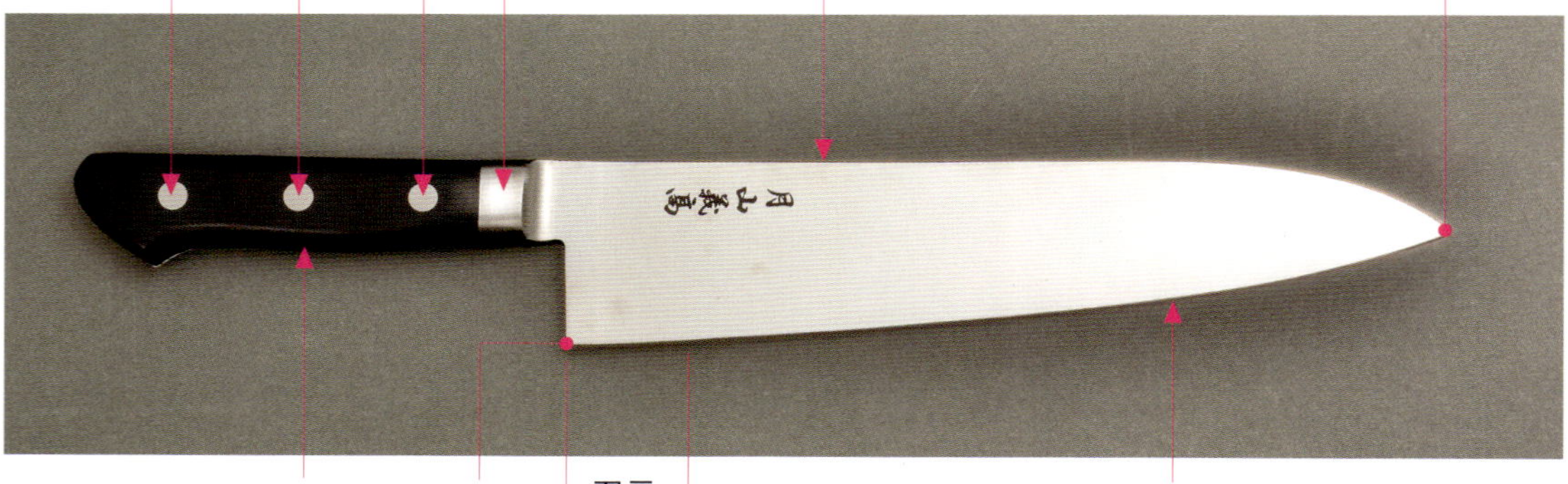

右利き用の包丁は、刃を下向きに右手に持ち右側が表、左側が裏です。左利き用は表裏が逆になります。和包丁の場合、片刃の包丁が多いので右利き、左利き用は左右対称にできているのでわかりやすいのですが、両刃の洋包丁でも同じです。左利き用に刃を研げば表裏は右利き用と逆になります。

柳刃包丁や薄刃包丁などは柄に入る中子の部分で段がついてます。この段を「マチ」といい、マチの付いている包丁はここから切っ先までが刃渡りです。

包丁の長さについて

出刃包丁のようにマチがない包丁は「アゴ」から切っ先までが刃渡りとなります。

包丁は通常、この刃の長さで売られています。単位はミリ、センチから寸、尺まで幅広く使われています。

一般家庭用の包丁や洋包丁はミリ、センチが多く、和包丁では寸、尺で表記することが多いようです。本書でも洋包丁はミリ、和包丁は寸、尺で表記しています。

尺は厳密には約30.3㎝ですが、刃物を購入する基準としては30㎝と考えて良いと思います。寸はその10分の1です。

寸、尺の表記の仕方も例えば360㎜の柳刃包丁の場合、本書では一尺二寸と表記していますが、専門職の間では「一」と「寸」を省き、「尺二」と呼びます。それより短い場合にも、同様に「尺一」、「尺」と呼び、一尺より短いものは「九寸」、「八寸」と呼びます。さらに細かくなって135㎜などの場合は四寸五分となりますが、これはこのまま「四寸五分」と呼びます。45㎜は一寸五分ですが、これも「一」と「分」が省略され、寸五と呼びます。同様に寸一、寸二…などと呼びます。

ホームセンターで購入する場合は、ほぼ全てがミリ、センチ表記、または寸尺と両方記載表示したものが販売されていますが、専門店で買う場合には知識として持っていても良いと思います。

本焼きの模様。刃線側には焼きが入り、峰側には入らない。

片刃包丁の断面図

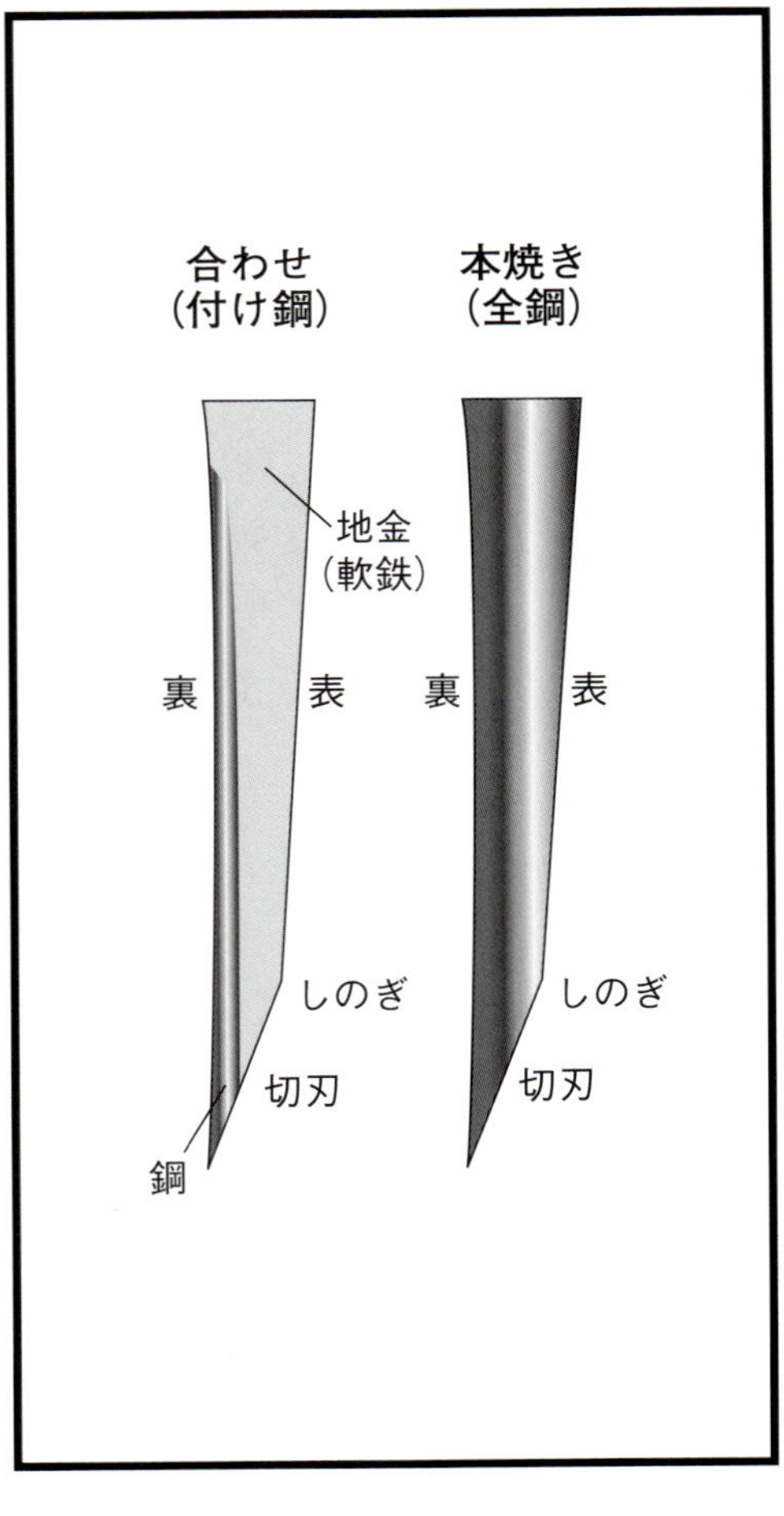

片刃包丁の構造

次に包丁の構造について見ていきましょう。

包丁の刃は片刃と呼ばれる、主に和包丁で使われる刃と、両刃と呼ばれる主に牛刀や家庭用の三徳包丁などの刃に分けることができます。

片刃の刃は図のように、断面から見ると裏面がほぼ平面でほんの少しだけ凹んでいます。刃は表から裏に向かい斜めに鋭角に付いていているので、切ったときに少し左に切れ込みます。

製法と素材から見ると全鋼の「本焼き」と呼ばれる包丁と、地金に鋼を貼り合わせた「合わせ」と呼ばれる包丁があります。

本焼きは全てが鋼で作られているため鋼全体に焼きが入ってしまうとあとの工程での歪み取りができなくなります。そこで焼入れ前に全体に塗る土の厚みを調整し、峰側は厚く、刃線側は薄く塗ることで焼入れの温度を調節し、峰側には焼きが入らないようにする、技術的にも高度な製法で作られています。

この包丁の特長は、合わせのように地金と鋼の境がなく、日本刀のように刃幅の中央付近に波状の模様がでることです。この線が土を厚く塗った部分と薄く塗った部分の境界で、刃線側に焼きが入っています。

一方、地金（軟鉄）に鋼を貼り合わせて作った「合わせ」は、鋼の部分の光沢に比べ地金の部分は、霞んでるように仕上げてあるため、「霞」とも呼ばれています。

両刃包丁の断面図

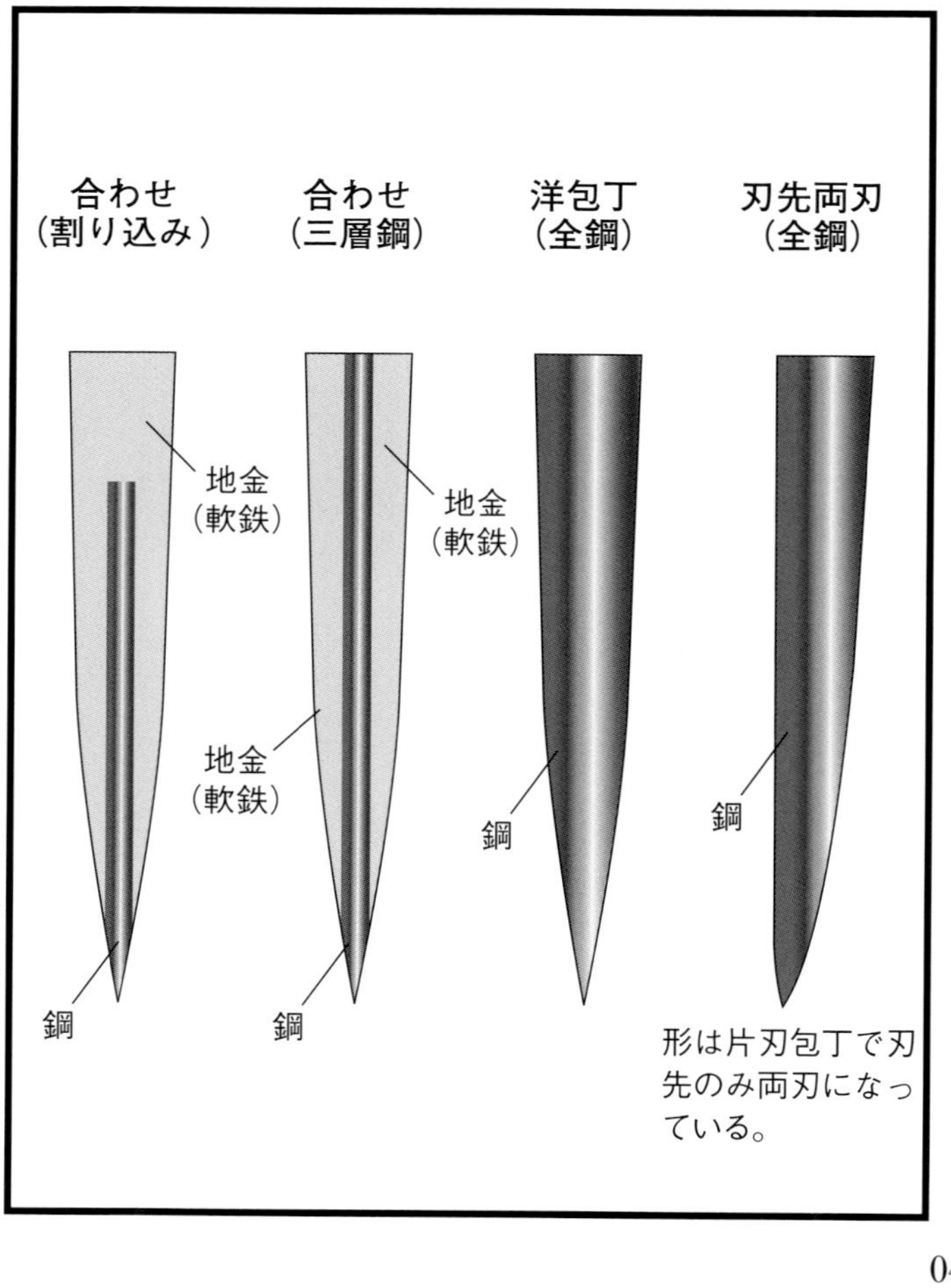

地金に鋼を貼り合わせる製法は洋包丁でも採られますが、和包丁の場合は片刃なので峰側を残した裏全体に鋼が付きます。多くの和包丁がこの製法で作られています。

本焼きは焼入れ時の工夫で、峰側には焼きが入らないようにしているとはいえ、全体が鋼でできているためやはり硬く、強い衝撃などを与えると折れることが稀にあります。その点、合わせは鋼の硬さを地金の粘り強さで吸収し、耐衝撃性で優れています。

切刃も軟鉄の面が多く、研ぎやすいのが特長です。そのためプロの料理人も、使用頻度の高い包丁には合わせを使用することが多いようです。欠点は地金と鋼の硬度の違いから、僅かながら歪みがでることがある点ですが、普段からメンテナンスしていればそれほど気にせずとも修正できるはずです。

長期間保管した場合など、大きく歪んだ包丁は、ためらわずに専門店で直すことをお勧めします。

両刃包丁の構造

両刃の包丁はほとんどの洋包丁と和包丁の一部にあります。

和包丁では押し寿司や巻き寿司を切るための寿司切り包丁が両刃です。また、出刃や柳刃と同じようなタイプの柄を挿げた和牛刀も両刃です。また土佐の打ち刃物は出刃包丁、柳刃包丁なども両刃があります。

洋包丁では牛刀やペティナイフ等ほぼ全てが両刃です。また家庭用の包丁にも両刃が多く、菜切り包丁や三徳包丁も両刃です。

特殊な例として形状は片刃で、刃先のみ両刃、という包丁もあります。この包丁のメリットは裏がフラットに近いため食材に沿わせて厚みの誤差が少なくなるように切りやすく、高級な牛肉を切る牛刀などに好まれます。

また骨がある場合に、沿わせて切りやすいように表には角度が付いています。骨に当たると欠けやすいため通常刃先は両刃ですが、使い手の裁量で裏の角度を鋭利にしやすいため、片刃のような鋭い切れ味に近づけることもできます。

しかし三層鋼では片刃に研いでしまうと場合によっては地金が刃先になってしまい切れなくなってしまうため、全鋼のものだけに限られた使い方です。

また過度に表の角度を鈍角にしますと少し硬い食材を切った場合、曲がって切れるなど、片刃の特徴が出てしまうので注意が必要です。

両刃包丁にも全鋼のものと合わせのものとがあります。合わせにも地金の中に鋼が入っている「割り込み」と、峰まで鋼が入っている「三層鋼」と呼ばれるものがあります。

本来の意味では洋包丁は全鋼なのですが、日本国内でも多くの刃物産地で作られていますので、日本古来の鍛接技術を用いたものや、利器材と呼ばれる、鋼材メーカーによりあらかじめ鋼と地金とを接合した材料から作られたものまで、さまざまな種類があります。

最近では鍛接による割り込みの包丁も、利器材の台頭で、かなり少なくなってきました。

１００円ショップでも包丁が買える時代ですが、自分が何を求めて包丁を購入するのか、包丁選びはそこから考えるべきでしょう。

鋼材の種類と特長

次に鋼材について考えていきます。包丁に使う鋼材には、いくつか種類があります。

ここでは包丁として広く販売されているものに使われている鋼材の中でも代表的なものを紹介します。

炭素鋼・合金鋼系

刃物の製造に不可欠な鋼材は、鋼材

メーカーによって作られたものが使用されることがほとんどです。

中でも、島根県安来市にある日立金属(株)の安来工場で作られる刃物鋼は、包丁に限らず、鉋やノミ、高級ナイフにも使用されています。

炭素鋼・合金鋼は「白紙1号」「青紙1号」といった規格で呼ばれ、主に和包丁に使われます。

白紙、黄紙は不純物を極力低減した純粋な炭素鋼で、青紙はタングステンやクロムを添加して熱処理特性や耐摩耗性を改善した鋼です。いずれの鋼材も炭素量によって細かく分類されていることが下の表からわかります。

これらの鋼材を使った包丁は、プロの料理人によく使用されています。それだけに青紙や白紙の何号といったこだわりを持って購入する人も多い包丁です。一般的な捉え方としては、切れ味が良く、研ぎやすいというのがこれらの鋼材を使った包丁の評価です。

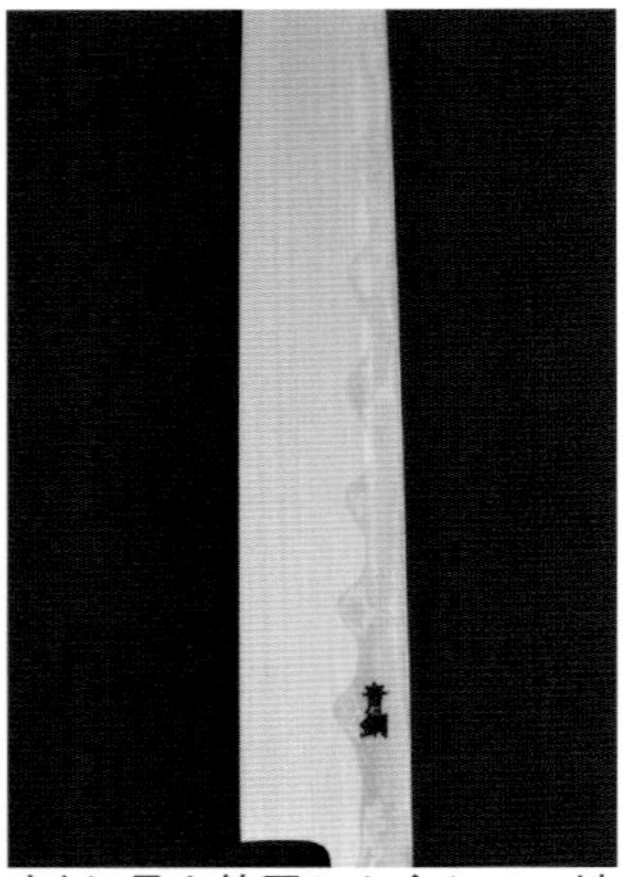
青紙2号を使用した合わせ。地金との境が波状になっている。

規格記号	化学成分						
	C	Si	Mn	P	S	Cr	W
白紙１号	1.25 ～1.35	0.10 ～0.20	0.20 ～0.30	0.025 以下	0.004 以下		
白紙２号	1.05 ～1.15	0.10 ～0.20	0.20 ～0.30	0.025 以下	0.004 以下		
白紙３号	0.08 ～0.90	0.10 ～0.20	0.20 ～0.30	0.025 以下	0.004 以下		
黄紙２号	1.05 ～1.15	0.10 ～0.20	0.20 ～0.30	0.030 以下	0.006 以下		
青紙１号	1.25 ～1.35	0.10 ～0.20	0.20 ～0.30	0.025 以下	0.004 以下	0.30 ～0.50	1.50 ～2.00
青紙２号	1.05 ～1.15	0.10 ～0.20	0.20 ～0.30	0.025 以下	0.004 以下	0.20 ～0.50	1.00 ～1.50

元素記号　C=炭素、Si=ケイ素、Mn=マンガン、P=リン、S=硫黄、Cr=クロム、W=タングステン

日立金属(株)YSS高級刃物鋼資料より

青紙、白紙両方を打つ鍛冶屋では、わかりやすいように青紙だけあらかじめ波状にした地金を使い、地あいの形状で区別できるようにしているところもあります。

錆びやすいという欠点はありますが、手入れをしっかりおこなうことで、包丁の状態にも気を配れるので、プロに限らず使っていきたい包丁です。

ステンレス鋼

家庭用の包丁を選ぶなら、まず思い浮かぶのがステンレスでしょう。もちろん使われるからには、それなりのメリットがあります。第一に錆びに強いということが挙げられます。そのため手入れが楽で、長く使うことができます。逆に言うと手入れをしなくても使えると思われがちなので、切れない包丁を使い続ける…という落とし穴も存在します。

またステンレスの長く使える理由には中子が痛まないことが挙げられます。鋼の場合、中子が錆びて痛み、ブ

レードが健全でも買い替えや溶接して中子を作らないといけない状況が発生します。

ステンレスの包丁はホームセンターやスーパーでも購入できるので、手軽といえば手軽ですが、実はステンレス鋼にもいくつか種類があり、プロの料理人はその辺りも購入のポイントにするようです。

ステンレス鋼の場合、日立金属（株）の「銀1」、「銀3」という規格のものや、武生特殊鋼材（株）の「V金10号」などが包丁用ステンレス鋼として評価が高いようです。

粉末鋼

粉末ハイスは粉末冶金法によって製造される鋼材で、溶解法で作られる鋼材とは根本から製造工程が異なるようです。

元来のハイス鋼は組織が粗く、包丁には不向きでした。しかし粉末冶金法による製造で金属組織が緻密になり、強靭で耐磨耗性にも優れた性質を得ることにより、刃持ちと切れ味の良い包丁用の鋼材として高い人気を得ています。

ただし硬度が高いので、研ぎにはあるレベル以上の知識と技術が必要です。また研ぎに費やす時間も他の鋼材に比べると長くかかると思います。

セラミック

切れ味が良く、錆びることがないのがこの素材の特長です。金属ではないので非常に軽く、ちょっと切るときに使う包丁としては良いですが、非常に欠けやすい欠点も持ち合わせています。

他の鋼材でできた包丁のようには研げず、欠けたり研ぎ直す場合はメーカーに送るか、専用のダイヤモンドシャープナーを使う必要があります。従って本書で紹介する研ぎや砥石も、全く役に立ちませんので、ここでは紹介しません。

和包丁の柄について

ここまで、鋼材の種類を紹介しましたが、和包丁の場合には、柄についても選択肢があります。

53ページの工程でもわかるように、柄は比較的簡単に取り替えることができます。和包丁は昔から木の柄が付けられます。木材としては朴《ほお》が一番多く使われています。高級包丁になると黒檀を使用したものや螺鈿細工などの漆塗りのものもあります。

形状も「半丸」、「八角」、「丸しのぎ」などの形状があり（13ページ参照）、好みによって選ぶことができます。

また、柄の先に付く「口輪」にも材質にいくつかの種類があります。高級な包丁には水牛の角から作った口輪が付きますが、プラスチックや金属の口輪が付いた包丁もあります。

これらの要望に応えるため、刃物専門店では柄を付けない状態で品揃えすることもあります。

包丁の仕上げと意匠

包丁の材質と柄の形状など、実用面での種類を紹介してきましたが、包丁にはまだまだ選択肢があります。

実用一点張りで考えれば、あまり意味がないと思う人もいるでしょうが、やはり愛用の一本を探している人には、意匠的な要素も欠かせない選択条件ではないでしょうか？

また必要以上に凝ったものを求めていなくても、その仕上げの意味に興味のある方もいると思います。

ここからは包丁の仕上げの種類について説明します。

意匠的な仕上げは、鍛冶屋や問屋の創意工夫で新しいものが生まれますので、ここで紹介するものが全てではありません。

黒打ち

製造工程から考えると、焼入れのあとの酸化皮膜を削る作業を省いているので、そのぶん価格が低めに設定されている事が多いようです。

また、切刃の仕上げもサンドブラストで、工程を少なくしています。

鋼材の質を落とした廉価版もありますが、使用頻度が高く、消耗が激しい使われ方をする市場などでは、良く切れれば外見は気にしない…といってこの仕上げを選ぶことも多いようです。錆びに強いというメリットもあります。

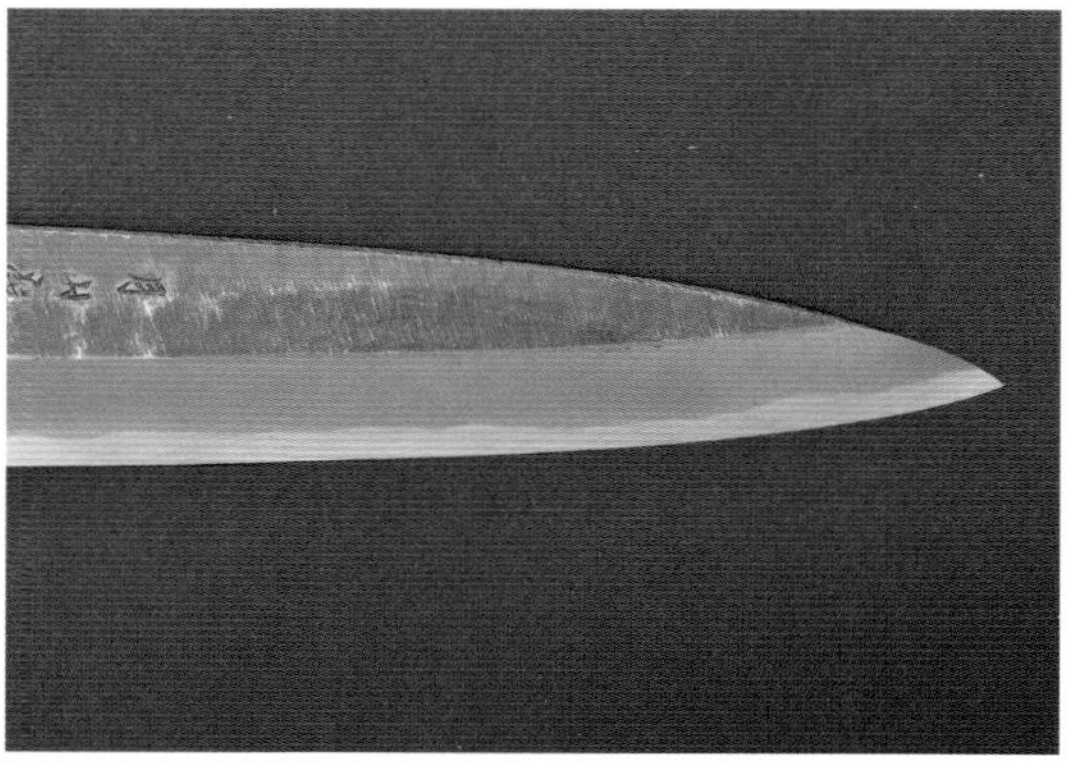
「黒打ち」 実用性を重んじた包丁。

鎚目《つちめ》

平の面に鎚で凸凹に仕上げたタイプの包丁です。牛刀や三徳包丁、菜切り包丁などにも採られる仕上げです。

この仕上げのメリットとしては、平の面が切る対象とくっつく面積が少ないため、切るときの抵抗が少なくて済むと考えられます。

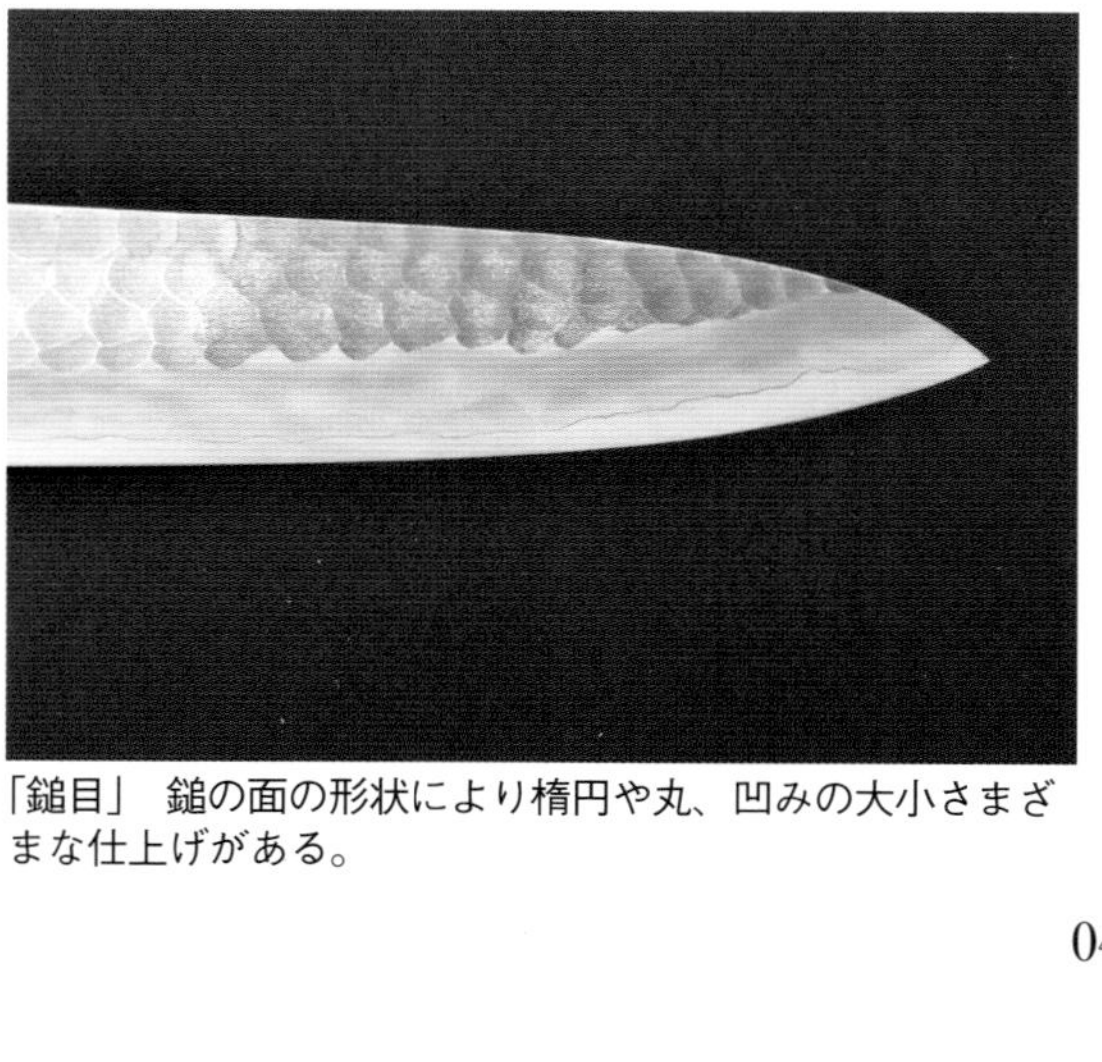
「鎚目」 鎚の面の形状により楕円や丸、凹みの大小さまざまな仕上げがある。

墨流し（ダマスカス）

ナイフの世界では有名なダマスカス鋼。その木目のような模様に高い人気があります。

ダマスカス鋼そのものは古代インドで作られていた鋼材で、現在流通している刃物は「ダマスカス仕上げ」や「ダマスカス模様」として、ダマスカス鋼のイメージに似せたものを販売しています。

この地金は、鋼材メーカーによって作られたものが多く、稀に鍛冶屋が同様の鍛えをしたものを作っています。

わかりにくいのは、包丁メーカーにより「ダマスカス仕上げ」、「墨流し」、「鍛地」、「積層鋼」といった表現をしているためですが、基本的には同じ仲間と考えて良いと思います。

比較的高価なものが多い仕上げです。

「墨流し」 木目のような肌で人気が高い。

霞《かすみ》

合わせの仕上げに使われる、切刃の部分を霞ませる手法です。和包丁では一番多いのがこのタイプです。

切刃を霞ませる研磨剤には、研ぎ師それぞれの調合があり、研ぎ師によって鋼と地金の見せ方にこだわりがあるようです。問屋はここの色を見るだけで研ぎ師がわかるといいます。

それとは逆に鏡のように光らせる仕上げを鏡面仕上げといいます。

この仕上げだと、研磨の工程がはるかに多くなります。もちろん価格にも反映されます。

「霞」 最もポピュラーな和包丁の仕上げ。

ディンプル加工

洋包丁で使われる加工法。和包丁でいう切刃の部分が両面から交互に凹ませてあるものと、片側だけ凹んでいるものがあります。肉などに包丁が引っ付くのを防ぐ効果があります。

研ぎ方にコツがあり糸刃だけを研いでいくと、凹んだ部分が刃線に出てしまいデコボコの包丁になりますので、切刃に当たる部分から研ぐようにします。両面に凹みがある包丁は、必ず表裏を均等に研いでいく必要があります。

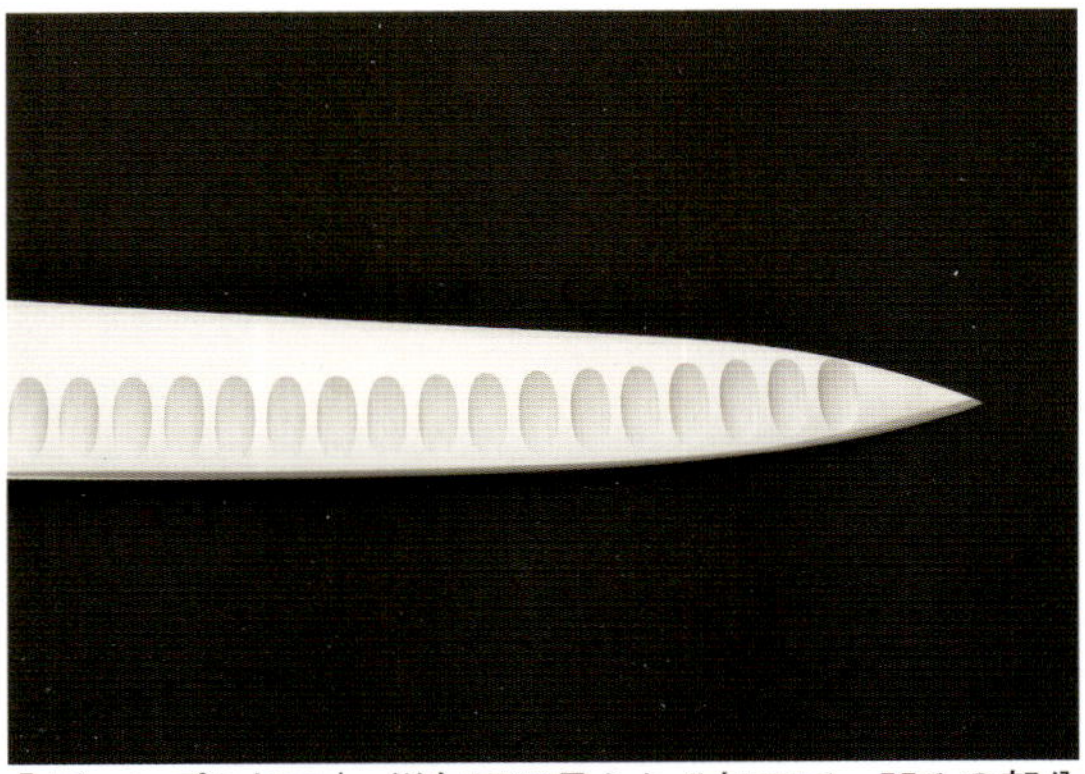
「ディンプル加工」 洋包丁に見られる加工で、凹みの部分が楕円のものや四角いものがある。

包丁選びの知識

家庭で使う包丁

包丁の種類や作り方については他の章で紹介していますが、選び方のポイントとなるとなかなか一口では説明できません。ご家庭で毎日使う包丁と料理人が刺身を切るために使う包丁では、そもそも選ぶ基準が違います。

ご家庭で毎日使う三徳包丁などは、やはり錆びにくいステンレス製の包丁が好まれます。その中でも長切れして、刃こぼれのしない包丁がよい包丁ということになるでしょう。さらには研いだときの感触のよさも大切ですが、これは研いでみないとわからないので、選ぶ基準としては難しいところです。

あとは台所の広さ、特に奥行きがあまりない台所で包丁を使う場合には、あまり長いと使いづらいだけですので15㎝～21㎝くらいの長さで、扱いやすいものを選びましょう。

和包丁の選び方

和包丁の選び方はもう少し細かい知識が必要になります。何しろ機械で大量生産という規格品ではなく、鍛冶屋のページでもわかるように一本一本手作業で作っていきますから、どうしても狂いが出てきます。

それは捻れや切刃の凹凸、刃線の狂いなど、様々なことが考えられます。だからといって商品としての欠陥とまでは言えず、手仕事で作られる包丁にはつきものの誤差と割り切るべきでしょう。

それでも高い包丁を買う以上、できるだけ修正の必要がない包丁を選びたいものです。

■では柳刃包丁を例に包丁の見極め方を説明しましょう。

包丁は鍛接、鍛造、焼入れなどの過程を経て、成形され、研がれてから商品となります。精巧に作られているとは言え、やはり手仕事ですから全体のバランスや重心の位置に若干の違いがあります。まずは手に取り、軽く上下に振ってみて柄付けの具合を確認しましょう。ガタがあるようだと柄がしっかりと入っていない可能性があります。

手に取った包丁は刃の表裏にヒビがないかも見ておきます。鍛接不良によるヒビを「あいけ」といいますが、磨いてある包丁ではこの「あいけ」がわかりにくいので注意します。

また後から鍛接部分に割れができることもありますので、全体をチェックし、修正の効かないような欠点がないかどうかもよく見ておきます。

■次にバランスをみます。柳刃包丁は切っ先に向かうに従い薄くなっているので、持ったとき手元が重く、切っ先が軽く感じられるはずです。もし切っ先側に重みを感じたら、どこかに余分な肉が付いている可能性がありますので、その包丁は避けるべきでしょう。

包丁を指の上に載せてバランスを見る方法もあります。左上の写真のように指の上に包丁を載せ、落とさないように注意しながら重心の位置を確認します。アゴから指3～4本の位置に重心があるのがわかります。それよりも刃元側や、切っ先側にあまりに寄っている位置でバランスがとれる包丁も避けるべきですが、使い手の好みもありますのでやはり手に持った感覚を大事に選びましょう。

■バランスがよければ今度は曲がりを確認します。刃線も峰も真っ直ぐならよいのですが、曲がっていることも少なくありません。

ここでいう曲がりとは、パッと見てすぐわかるようなものではありません。もしすぐにわかるような曲がりなら、それはすでに包丁とは呼べません。

指の上に包丁を載せバランスを見る。指を切ったり、包丁を落とさないように細心の注意を払っておこなう。

刃線の曲がりを確認する。この時は左右の曲がりを見ている。

峰側からも見る。柄がまっすぐ入っているかも確認しておく。

左右の曲がりを確認するには、刃を上に向け刃線側を、峰を上に向け峰側の曲がりを確認します。

峰は厚みがあるので、どちらかというとなだらかな曲線を描いて曲がっている場合が多いので、慎重に見ていきましょう。刃線は左右だけでなく、凹みにも注意を払います。表側を上に向け、刃線の通りを見ていきます。

同時に柄がまっすぐに挿げられているかも、確認しておきます。

表側を上に向け刃線を見る。ここでは刃線の凸凹を確認している。

■次にねじれを見ていきます。片刃包丁の裏は鋼です。焼入れにより全面が硬くなったものは研ぐのが至難の業です。

多くの片刃の刃物、カンナやノミなどもそうですが、裏全体に砥石が当たらなくても平面が出せるように、周囲だけを残して中心部はすいてあります。そのすいた部分を除いて、周囲全部が平面になっていなければなりません。砥石の平面出しと一緒で、全体がフラットになっているかどうかを確かめる必要があります。

確かめる方法はお店のショーケースなどのガラスの上に包丁の裏を押し当てて、切っ先側と刃元側に浮いている箇所がないかを見ます。多少の浮き上がりは許容範囲ですが、置いてみて、どこも安定しないようだとねじれている可能性があります。

この作業は必ずお店の人の許可を得てからおこなってください。

■ここまで確認できたら、あとは表面の凹凸としのぎ線の確認です。凸凹はまず切刃の面と平の面から確認します。確認の仕方は、直管の蛍光灯を確認したい面に映し込むとわかりやすいです。まっすぐであるはずの蛍光管の線が歪んで見えれば、その部分が凸凹になっているはずです。凸は研いでいけば減らすことができますが、凹はそうはいきませんので、あまり凹みが目立つようならその包丁も敬遠すべきです。

しのぎのラインは角がしっかり出ていること、刃線と平行についていることを確認します。

以上のような事項を確認していきます。しかし最初に申し上げたとおり手作業で作られている包丁は、機械で型抜きされた包丁ほどの精度はありません。研ぎによって最初に作られた形を崩さずに、歪みを取っていく作業も、使用者の側の仕事と考えましょう。

切刃の凸凹を見る。蛍光管の光を映し込み、その歪み具合を確認する。切刃だけでなく、平の面も裏のすき具合も同じ方法で確認できる。

とはいえ合わせの場合など、地金と鋼の伸縮率の違いから起こり得る、鍛接面の割れなど、製造後に起こるトラブルも考えられます。もちろんそう滅多にあることではありませんが、やはり慎重に選んで購入しましょう。

どんなに切れ味が良く、研ぎやすい包丁でも、手入れが面倒で錆びる包丁は絶対に嫌…という人には炭素鋼や青紙などの包丁は向きません。

どんなに良く切れても、切れ味が長持ちせず、頻繁に研がなければならない包丁ではプロの料理人には相応しい包丁とは言えません。

包丁を選ぶ基準は、ひと通りではありません。使う人が求めているものが一様では無い限り、包丁の善し悪しも変わってくると思います。

とはいえ使い手が、とりあえず無いと困るから…的な発想で買い求めるのと、そろそろ自分がこの先、使い続けていく一生ものの包丁を求めるのとでは、その判断基準は大きく変わると思います。

少し高額でも気に入った包丁が欲しい…そんな思いがあるなら、包丁のさまざまな種類について、知識を深めておくことも必要だと思います。

また、刃物専門店に相談して、自分に合った包丁を選ぶのも良い方法だと思います。

堺の包丁鍛冶

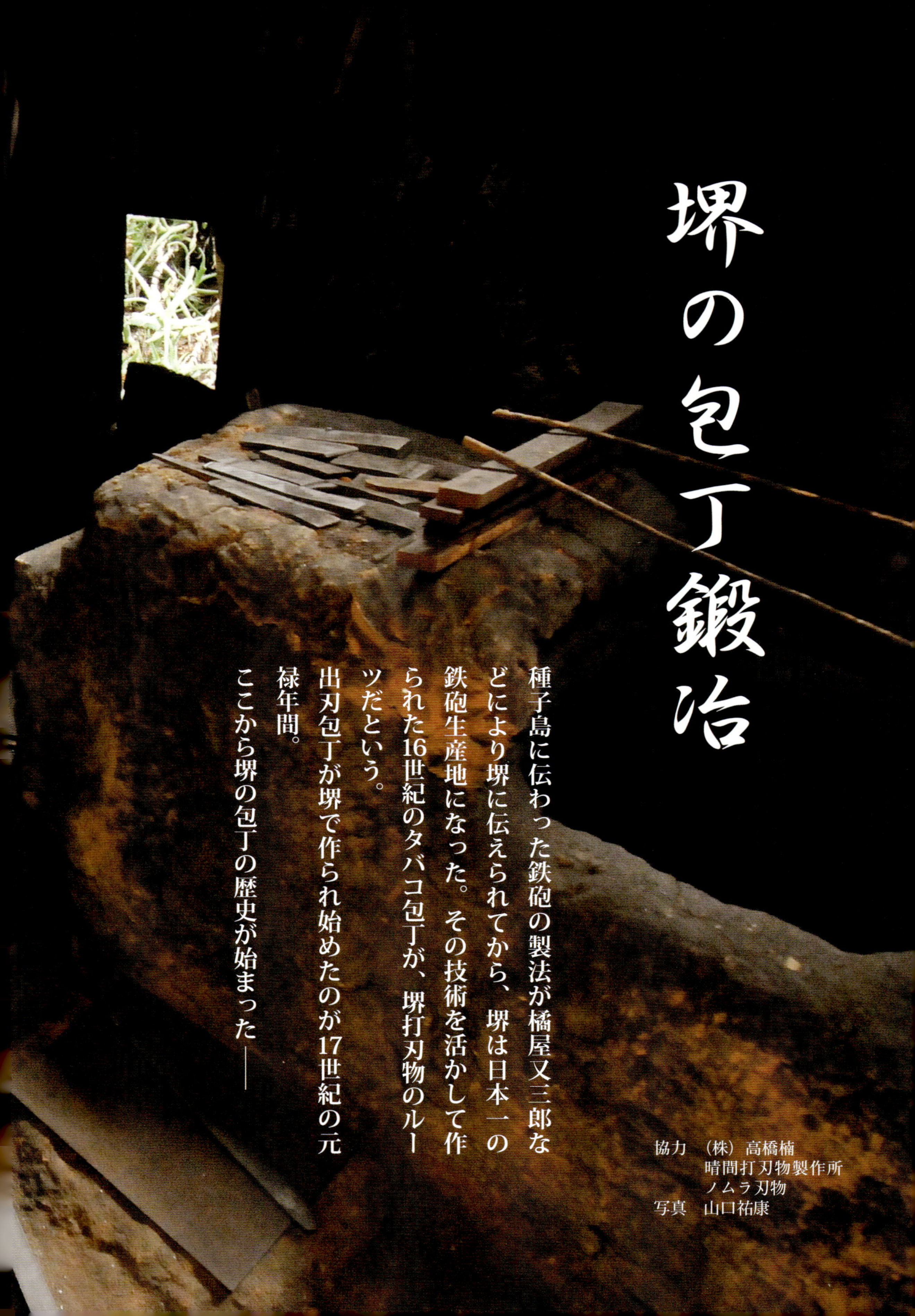

種子島に伝わった鉄砲の製法が橘屋又三郎などにより堺に伝えられてから、堺は日本一の鉄砲生産地になった。その技術を活かして作られた16世紀のタバコ包丁が、堺打刃物のルーツだという。

出刃包丁が堺で作られ始めたのが17世紀の元禄年間。

ここから堺の包丁の歴史が始まった――

協力　（株）高橋楠
　　　晴間打刃物製作所
　　　ノムラ刃物
写真　山口祐康

①手に持っているのが安来鋼の白紙３号、その左にあるのが地金。
②地面に埋め込まれている鏨《たがね》。この上で材料を切る。
③熱した鋼にスプリングハンマーで切れ目を入れる。
④火箸でつかみ、折り曲げて切る。
⑤熱した地金に硼砂《ほうしゃ》を載せ、その上に鋼を載せる。鋼は刃側が厚く、峰側が薄い。斜めに鋼が載っていない方が峰になる。

伝統の打ち刃物作り

業務用包丁のシェアは日本一という大阪府堺市。天正年間、たばこの葉を刻むための「たばこ包丁」が堺で造られるようになり、その品質の良さから徳川幕府が専売とし、「堺極」の印を附して全国各地へ販売しました。その頃から、「堺」ブランドはその切れ味と共に知られることとなります。

堺の包丁作りは昔から分業制が採られ、鍛冶屋→研ぎ屋→問屋が順番に手を掛けていきます。最初に金属を鍛え、焼入れして包丁の形にしていくのが鍛冶屋の仕事。まずは鍛冶屋歴55年の大ベテラン、晴間武史さんに火造りから焼入れまでを見せていただきます。

ここで紹介する包丁は一尺の柳刃包丁。鋼は白紙3号を使用したものです。和包丁の作り方は大きく2種類あります。「本焼き」という鋼だけを使ったものと、「合わせ」という地金（軟鉄）に鋼を接合したものです。現代の大量生産の現場においては、もっと簡単に早く作る方法もありますが、プロの世界で一番よく使われる「合わせ」の包丁作りを見ていきます。

鍛冶屋の作業工程

① 鋼付け
② 先付け・切り落とし
③ 中子とり・成形
④ 焼鈍し
⑤ 荒叩き・裏すき
⑥ 仕上げおろし・断ち回し・歪みとり
⑦ 摺り廻し
⑧ 泥塗り・焼入れ
⑨ 焼きもどし・泥落とし
⑩ 歪みなおし

鉄の色で温度を判断する。約900度に熱せられハンマーで叩く。

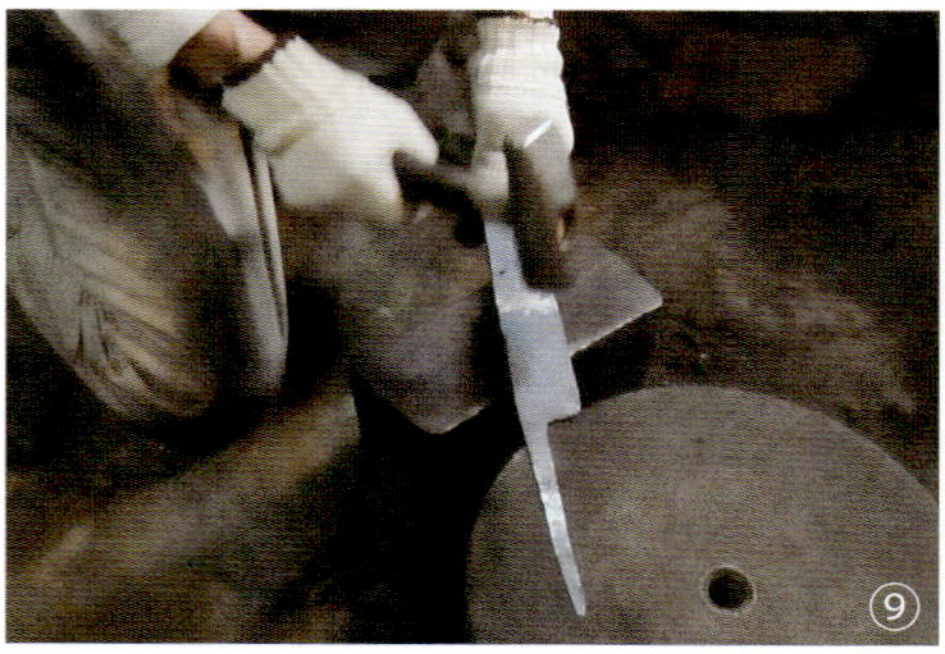

⑥火造りした材料をスプリングハンマーで叩き形を整えていく。
⑦ハンマーで叩き、酸化皮膜を取る。
⑧およそ一尺で目盛が切ってある定規で長さを確かめる。
⑨“ベトを落とす”と呼ばれる、表面の皮を落とす作業。これをやっておくと後の研ぎが楽になる。
⑩鍛接を終えたところ（中）。鋼より柔らかい地金が伸びて鋼側に回り込んでいる“地がかぶる”という状態。
⑪伸びた地金を切る“荒断ち”。これにしないと地金に刃を付けることになる。

⑫焼入れ前に鋼の分子を整える“荒叩き”。
⑬火造りで付いたコークスや鉄粉をグラインダーで落とし、さらにバフがけしてグラインダーで付いた傷をさらに細かくする。
⑭グラインダーで付いた傷。焼入れ前にできるだけ傷や付着物は取っておく。一度焼きが入ると硬くて取るのが困難になる。
⑮厚みを整える仕上げ叩き。ここでしっかりと叩いて、歪みが出ないように鋼を締める。ここでは表側（地金側）からしか叩かない。
⑯鎚の打撃面。奥が“出し鎚”と呼ばれる、“当たりのきつい”鎚で、手前が全体にベタッと当たる鎚。“当たりがきつい”とは打撃面が小さく、強く一点を叩けるので部分的に鉄を伸ばせるという意味。

鍛冶屋から始まる包丁作り

57ページ上の工程が、鍛冶屋でおこなわれる作業です。まずは地金と鋼を接着します。赤く熱した地金を叩き、硼砂《ほうしゃ》を接着剤として地金に載せ、その上から鋼を載せます。鍛接《たんせつ》と呼ばれる作業で約900度に熱した材料をスプリングハンマーとハンマーで叩き、鍛えていきます。温度が下がったらまた熱し、叩きながら次第に形を整えていきます。柄に入る中子《なかご》と呼ばれる部分もこの段階で形作られます。

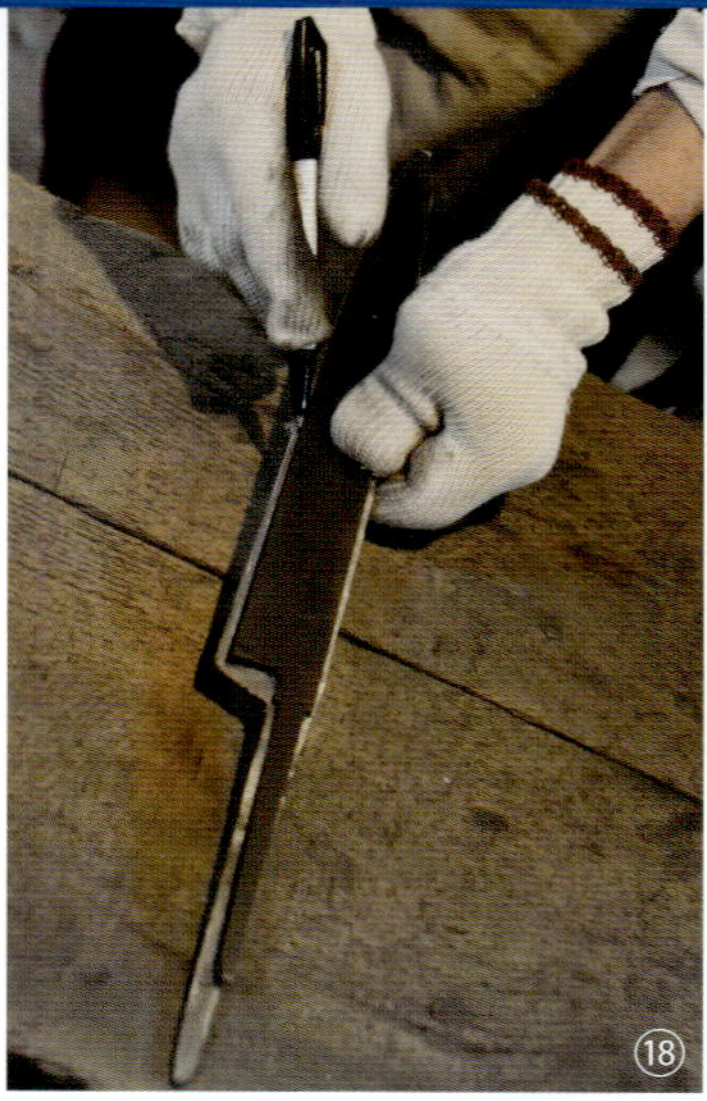

⑰定規を当て、裏スキを確認する。
⑱型に合わせてマジックで線を引く。
⑲マジックで引いた線。この線に沿って裁断すると包丁の形になる。

⑳線に沿って裁断していく。カッターの刃は足でペダルを踏むと落ちる仕組みになっているので、手は切断する線に集中できる。
㉑型通りに切断した包丁は、切断した角で手を切るくらい鋭くなっている。そのためここでグラインダーを使用し、最後の成形をする。
㉒中子と柄元も、ここで形を整える。中子の厚みや形で、その刃物を作った鍛冶屋がわかるという。

焼入れまでの作業

鍛接を終えたら、徐々に熱を冷ます焼鈍《やきなま》しをおこない、表面の汚れを叩いて落とし、裏すきを作ります。ここから焼入れまでの間は、まだ鋼も柔らかいので、グラインダーやヤスリ、頭の形状の異なった鎚などを用いて丁寧に整形し、厚みを整え、歪みを無くしていきます。

焼きが入った鋼では硬くて作業が困難になります。次の研ぎ屋へと渡った刃物で、苦労させないための気遣いが感じられます。

鋼は地金に対し切刃側は揃えてあるが峰側は斜めに、中子の部分に鋼がかからないように置き、鍛接しています。これも柄を挿げて、斜めになっている場合の修正を考慮した鍛接方法なのでしょう。

刻印を裏に打つ場合、鋼と地金の境にかかることがあるので、その場合もこの段階で刻印を打ちます。

鋼が柔らかいうちにおこなう作業を全て終えたら、いよいよ焼入れです。均等に、素早く冷やすために土を塗ります。この土は人により若干違うようですが、晴間さんは篩にかけた目の細かい土を使用しています。

昼間でも焼入れをおこなう晴間さんは、高窓をトタン板で塞ぎ、常に同じ暗さで火の色が見られるようにしてから焼入れに入ります。焼入れの温度は約800度。炎の色と赤められた刃物の色から、そのタイミングを計っています。

焼入れを終えた包丁は、歪みを取り、地金と鋼がしっかりと付いてる事を確認して、研ぎ師のもとへ送られます。

㉓グラインダーで削ったあとの、ヤスリがけ。粗い目を細かくしていく。
㉔このヤスリがけ一つで、研ぎ屋の作業が少し楽になるという。古くからの分業制のためか、全体の効率を考えた作業をしている。
㉕焼入れ前の刃の断面。鋼と地金の境目がはっきりとわかる。
㉖篩にかけ、粒子を細かくした土を塗り、乾燥させる。いよいよ焼入れの準備だ。

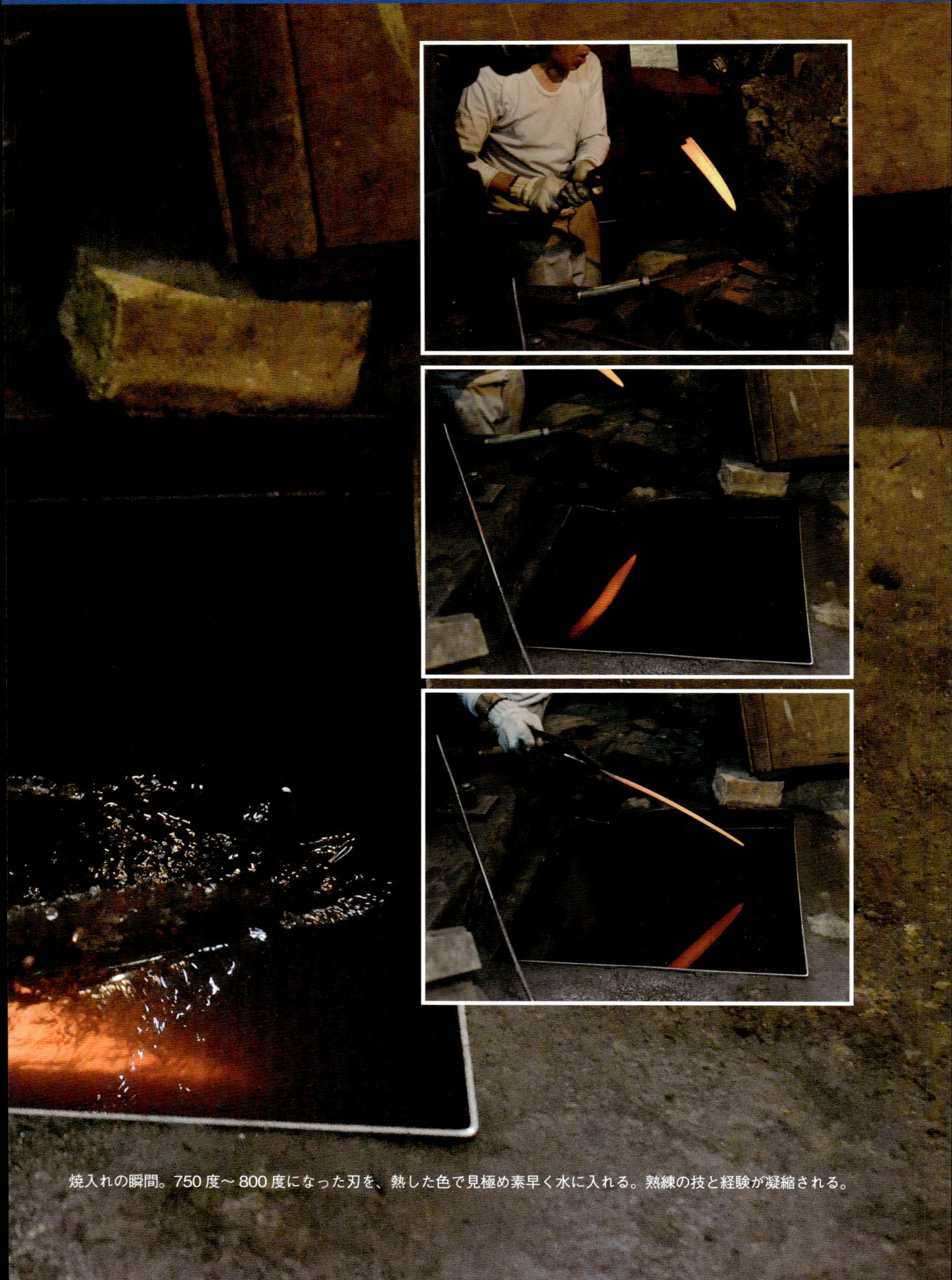

焼入れの瞬間。750 度～ 800 度になった刃を、熱した色で見極め素早く水に入れる。熟練の技と経験が凝縮される。

焼入れで歪んだ刃を叩いて直す。鋼と地金がしっかりとくっついているか確認し、研ぎ屋に送られる。

㉗刃付け作業は回転砥石を使った荒研ぎから。２本の棒の先に渡してある研ぎ棒に包丁を取り付け、手に持った棒を左右に動かすことで効率よく研ぐことができる。
㉘研ぎ棒に取り付けられた包丁。まず表の平面から厚さを整える。
㉙次に切刃の部分を斜めに削ると、だいぶ包丁らしくなる。
㉚微調整は研ぎ棒を使わず、手に持ち少しずつ研ぐ。

刃付け師の仕事

焼入れを終えた包丁は、刃付け師の手に渡り、ほぼ完成に近づきます。ここで最初におこなうのは荒研ぎ。最初は表の平の面から研ぎます。裏を研ぐと鋼を減らすことになるので、厚み調整や切刃の角度を作るのは、ほとんど表からおこないます。

大型の回転砥石で研いでいきますが、最初は人造の荒砥で#80というかなり粗い砥石で形を整えていきます。表ばかり研ぐので、次第に表側に歪んできます。歪んだら叩いて歪みを取り、さらに研いでは歪みを取る、これの繰り返しです。荒砥で研ぎ

研ぎ屋の作業工程

⑪ 荒研ぎ・歪みとり・平研ぎ
⑫ バフあて・歪みとり・タガネ入れ
⑬ 本研ぎ・刃ひき・歪みとり
⑭ 裏研ぎ・バフ・刃あて・バフ
⑮ 木砥あて・歪みとり・際引き
⑯ ぼかし・小刃合わせ・水拭き
⑰ 油ひき

㉛堺の和包丁は表から研ぐことが多い。そのため表側に曲がってくる。そのたびに叩いて直し、また研ぐ。叩くときは必ず裏から。

㉜一番手前の回転砥石は人造の荒砥。その奥が天然の中砥を取り付けた回転砥石。さらに人造の荒砥があり、一番奥には仕上げ用の木砥が設置されている。

㉝表を伸ばしたいときは鏨の傷を付け地金を伸ばしていく。次に切刃の部分を斜めに削ると、だいぶ包丁らしくなる。

㉞研ぎ棒は裏を研ぐ時、平を研ぐ時、切刃を研ぐ時など、それぞれ違ったものを使っている。

㉟光に照らし刃の曲がりや歪みを確認して、必ず修正してから研ぐ。曲がったまま研ぐと研ぐ必要のないところまで研いでしまうからだ。

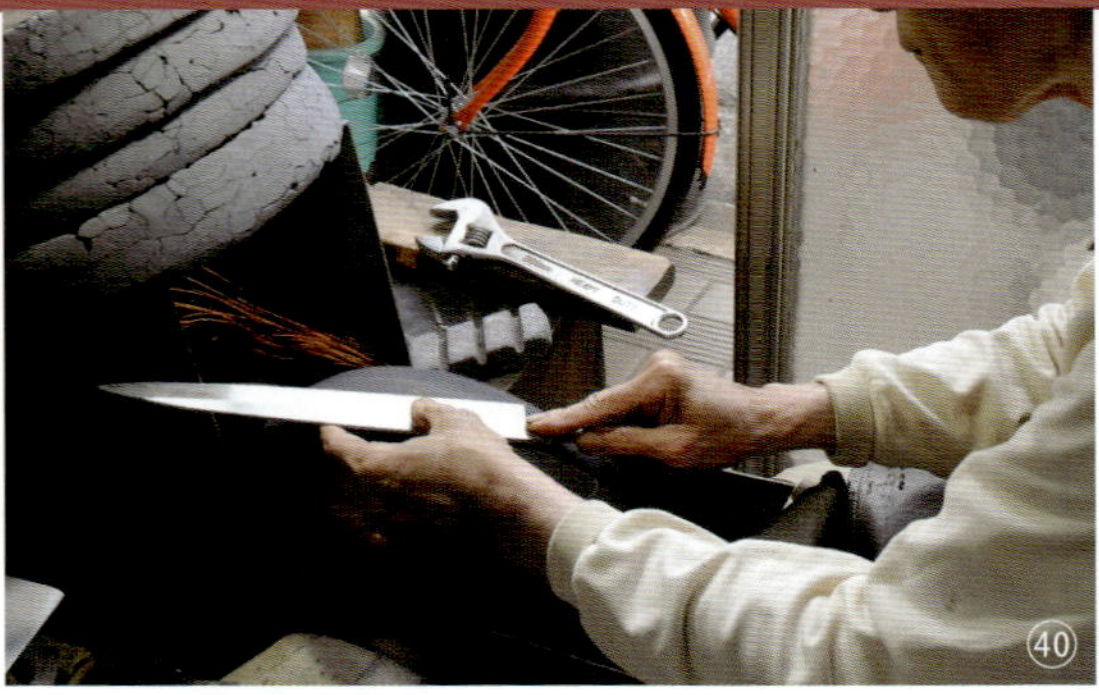

㊷ペーパーバフによる面取り。これまでの研磨で、角が荒れているのでそこをきれいに磨く作業。

㊸回転砥石は1時間も使用するとつるつるになってしまうので、その度に傷を付け目を起こしてやる。

㊹木砥に当てる前に直に金剛砂を包丁に塗る。

㊺木砥では“研ぐ”というより“磨く”作業。

㊻木砥に使う木は吉野杉が使用されている。

㊼木砥を当たることで斜めに線がきれいに入る。

㊽鋼と地金の境がはっきりと見える。この切刃の面を磨き、地金にぼかしを入れていく。

㊾しのぎの線に沿って“押さえ金”を当て、磨く。平の面は斜めに切刃の面は真っ直ぐ研いでいるため、平の面から切刃の面にほんの少しだが磨き傷が入る。それを取るための作業。

㊱片刃の包丁の裏は鋼なので表から研いでいき、必要以上に研がないようにする。

㊲研ぎ棒は刃物の長さによっても使い分ける。平、峰、裏、切刃とそれぞれ異なった研ぎ棒を使用するので、1本の包丁を研ぐのに、4本の研ぎ棒を使う。

㊳荒砥による形づくり。

㊴中砥による本研ぎ。ここで刃の厚みを整えていく。

㊵荒研ぎと本研ぎで付いた傷をバフがけして細かくしていく。

㊶バフは10本くらい包丁を研ぐと砥粒が取れてしまう。従って仕事の終わりに膠を塗り、金剛砂を貼り付ける。ここでは#150を使っている。軸は天然の木綿を何層にもしたもの。

㊼

㊸

㊽

㊹

㊾

㊺

㊻

㊿＃1000の人造砥石で研ぎ上げる。
51最後の仕上げは天然仕上砥で研ぐ。
52素早く乾燥させるため、ドライヤーをあてる。最後は錆びを防ぐために椿油を塗っておく。
53研ぎ上がった柳刃包丁。刃付けの仕事はここで終了。

（↗64ページより続く）

終えたらバフをあて、研ぎでできた傷を細かくしていきます。その後天然の中砥でおこなう本研ぎをし、さらにバフをあてます。

回転研磨機による仕上げは木砥という、吉野杉を使った研磨機で磨きます。これによりヘアラインのような美しい線が通ります。

合わせ包丁ならではの作業

最後は手研ぎですが、その前に切刃の面の地金部分に「ぼかし」を入れる作業をします。「しのぎ」に沿って平の面を磨かないように押さえ金で留め、砥の粉などを混ぜた磨き粉を塗りゴム片で磨きます。これにより「しのぎ」の線もきれいに整い、鋼と地金の境がクッキリと浮き上がります。あとは人造砥石の＃1000で研ぎ上げ、仕上げは天然の仕上砥で研ぎ上げます。

刃付け師の仕事はここまでです。撮影のために一本の包丁で作業を進めてくれましたが、鍛冶屋も刃付け師も本来は柳刃なら10本ほどをまとめて作ります。

錆び止めに椿油を塗り、最後は問屋で柄付けがされます。

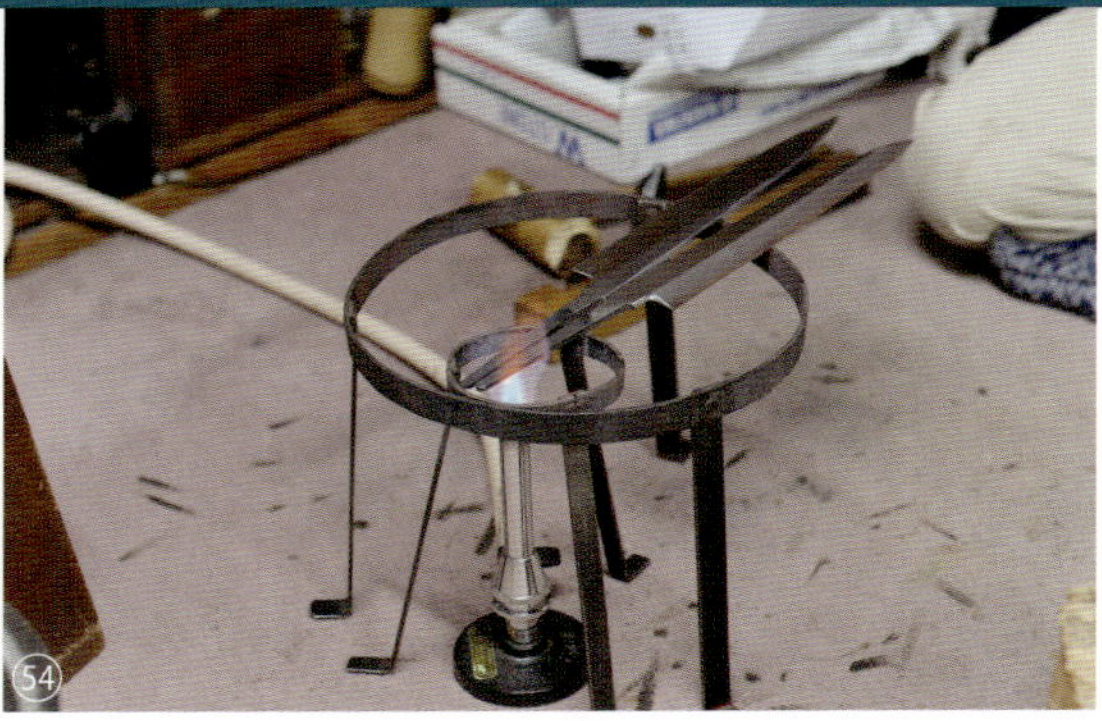

⑭中子を熱して柄付けの準備に入る。
⑮柄屋が作る柄の穴と、鍛冶屋が作る中子は必ずしもピッタリとは限らないので、きつい場合は少し強めに熱することもある。
⑯刃が真っ直ぐに入っている事を確認しながらの作業。
⑰刃を入れるときは柄の尻から木槌で叩く。

問屋の作業工程

⑱ 刻印打ち

⑲ 柄付け

包丁の総合プロデューサー

包丁作りは鍛冶屋から始まりますが、その注文をスタートと考えると、じつは問屋が始まりと言えるかも知れません。

今回はここで刻印を打ち、柄付けをしますが、この工程については常に同じとは限りません。小売店によってはお客さんのニーズに対応しやすいように柄を付けない状態で注文します。また、刻印についても焼入れ前に鍛冶屋で

⑱曲がっている時はこね木で修正する。
⑲桜の丸太をそのまま使った金床。金床は抜けるようになっている。
⑳銘を入れる作業は二人でおこなう。
㉑銘の入った包丁。問屋ではお店の注文により銘を入れるため、様々な刻印を揃えている。

入れる場合があるので、常に一様とは限りません。

しかし問屋さんという昔ながらのスタイルが確立しているのは、その先にいる作り手、鍛冶屋、研ぎ師、柄屋といった堺の専門職に精通し、ユーザーのニーズに合った包丁をプロデュースできるからでしょう。

堺の高級打ち刃物を扱う「高橋楠《たかはしくす》」の専務、高橋さんは柄を挿げながら堺の鍛冶屋について話してくれました。

ここでは様々な鍛冶屋が作った包丁を扱います。包丁は中子の形や厚みで作者がわかるといいますし、柄も穴の形や深さで誰が作った柄かわかるといいます。もちろん研ぎについてもその特長を心得ていますので、注文に合った包丁を的確に作ることができるのでしょう。

また銘についても色々な刃物専門店からの注文を受けるので、数多くの刻印を揃えています。

包丁を作り続けてきた町ならではの奥深さを感じさせる職人の結びつきに、堺の包丁の歴史を感じました。

堺打刃物

600年の伝統を誇る堺の包丁。分業体制で作られる包丁は、それぞれの分野を担うプロフェッショナル達の信頼関係から生まれる。

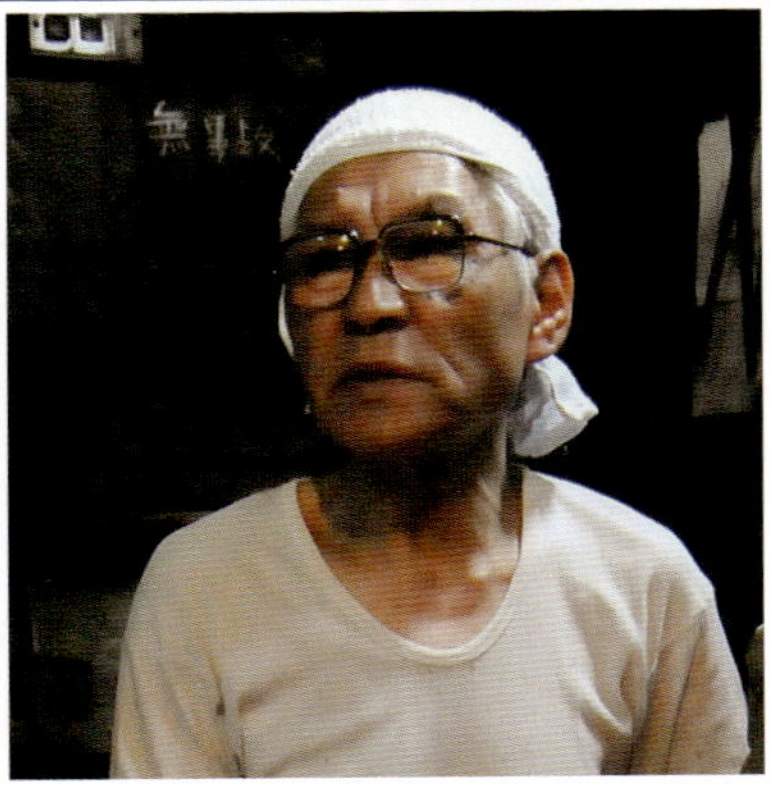

一年間におよそ1000本の包丁を打つという晴間さん。55年のキャリアを持ち柳刃、出刃、鎌薄刃といった和包丁を主に製作しています。

「鍛冶屋は問屋さんの注文で作るから、合わせでも本焼きでも注文に応じて作ります」といい、使う鋼材も白紙、青紙を中心に注文に合わせて作るそうです。

堺でも鍛冶屋さんが減ったといわれる中、大正初期から三代続くという刃物鍛冶として堺打刃物の伝統を守っています。

晴間打刃物製作所　晴間武史

刃物の産地で育った野村さんは、親戚筋の研ぎ屋での修行からスタートした、この道50年のベテラン。1日に10研げる包丁もあれば、2〜3本しか研げない包丁もある。それでも大型の回転砥石を14ヶ月ほどで使い切るといいます。分業化が確立されている堺では、研ぎ師は包丁に生命を吹き込む重要な存在です。

ノムラ刃物　野村祥太郎
大阪府堺市堺区甲斐町西 3-2-19
☎ 072-238-6974

堺で三代続く打刃物問屋、(株)高橋楠の専務、高橋さん。包丁作りの最終工程、柄付けを見せていただきました。この仕事は、従業員が誰でもできるように教育されているそうで、出荷量の多い時には総出でおこなうようです。

高級打刃物を専門に扱う高橋楠では鍛冶屋、研ぎ師、柄屋を選び、そこから厳選された一本を生み出し、全国の刃物専門店に届けられます。

歴史のある町で培われた、伝統的でありながら合理的なビジネススタイルが今も継承されています。

(株)高橋楠　高橋良輔
大阪府堺市堺区熊野町東 1-1-3
☎ 072-238-6565

種類別に保管された包丁。歴史を感じさせる。

※この情報は2014年8月のものです。

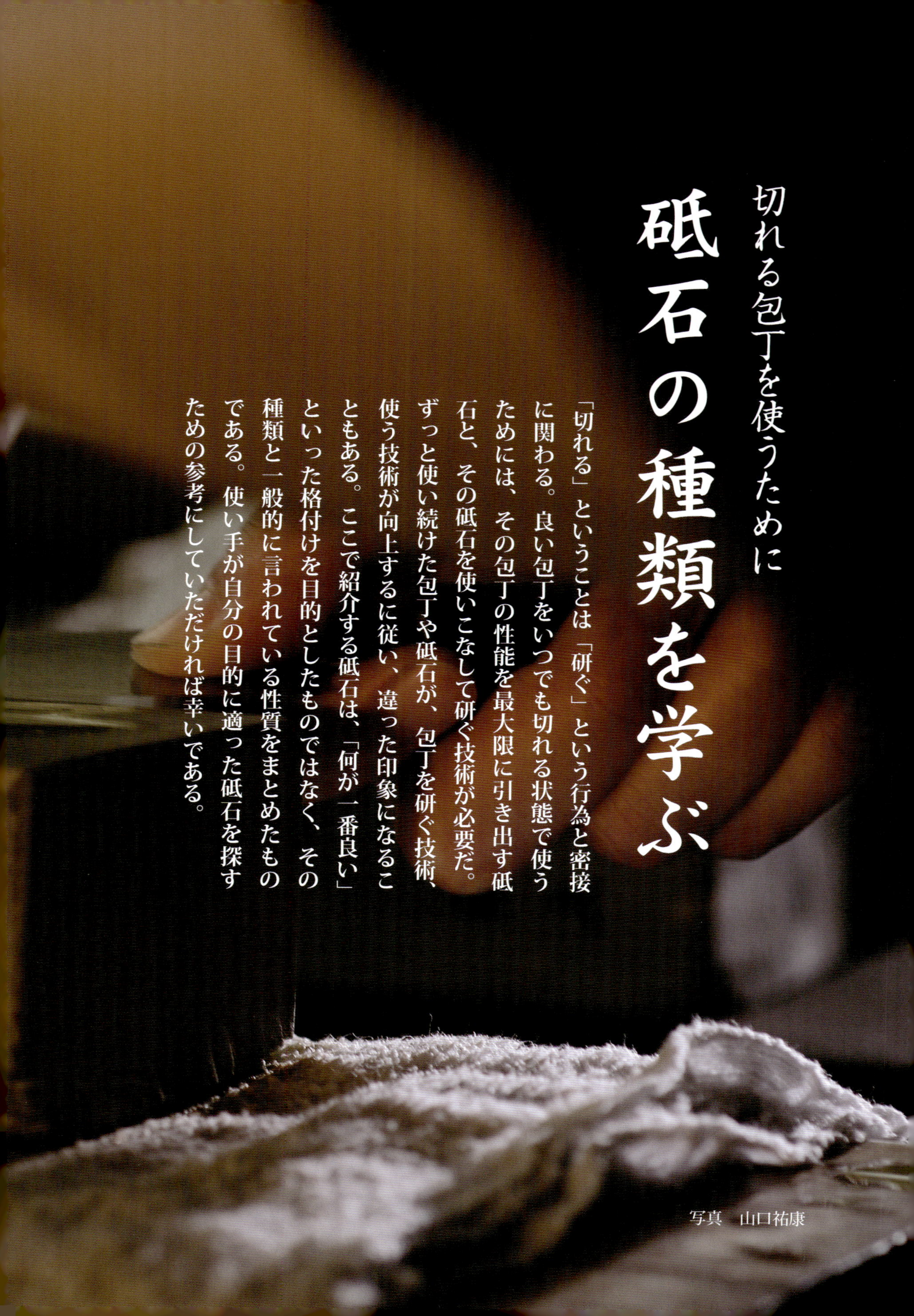

切れる包丁を使うために

砥石の種類を学ぶ

「切れる」ということは「研ぐ」という行為と密接に関わる。良い包丁をいつでも切れる状態で使うためには、その包丁の性能を最大限に引き出す砥石と、その砥石を使いこなして研ぐ技術が必要だ。ずっと使い続けた包丁や砥石が、包丁を研ぐ技術、使う技術が向上するに従い、違った印象になることもある。ここで紹介する砥石は、「何が一番良い」といった格付けを目的としたものではなく、その種類と一般的に言われている性質をまとめたものである。使い手が自分の目的に適った砥石を探すための参考にしていただければ幸いである。

写真　山口祐康

日本の天然砥石

各地で採れた「砥石」

研ぐ、磨くという行為はいつ頃からおこなわれていたのでしょうか。縄文から弥生時代には木の柄に磨製石器をつけた石斧を使用して木材を加工していたといいますから、その頃にはすでに砥石も重要な道具だったはずです。現にそれぞれの時代の遺跡では、石器や玉などと共に砥石が出土されたという記録が各地に残っています。

その後、大陸から鉄製の道具や鍛造の技術が伝えられ、4~6世紀の古墳からは数多くの鉄製の木工具が出土しています。

また、日本が長い間武家政権下にあった時代の砥石は、刀剣を研ぐための重要な軍事物資だったはずですし、農具や漁具などを打つ野鍛冶が各集落に存在していたことを考えると、砥石は現代よりももっと身近な道具だったのではないかと思います。

江戸時代中期の寛政11年(1799)、日本各地の産物の採取や生産の様子を図解した「日本山海名産図絵」が出版されましたが、その中にも砥石山の様子が描かれており、産物としても重要だったことが窺われます。

資料から見えてくる砥石の重要性

さらに明治時代の記録をたどると、明治十年の「第一回内国勧業博覧会」に出品された砥石の産地は、「北は青森から南は長崎県、熊本県におよんでいた」とあります。

一番粒子の粗い「砂岩」を使用した荒砥は、長崎県、佐賀県、和歌山県などで採掘されていましたが、「中砥」と呼ばれる石英粗面岩、凝灰岩、粘板岩などの諸岩石を使用したものは全国各地で採掘され、産出地によりさまざまな呼称の砥石がありました。

日本山海名産図絵

また刃物研ぎの仕上げに使われる最

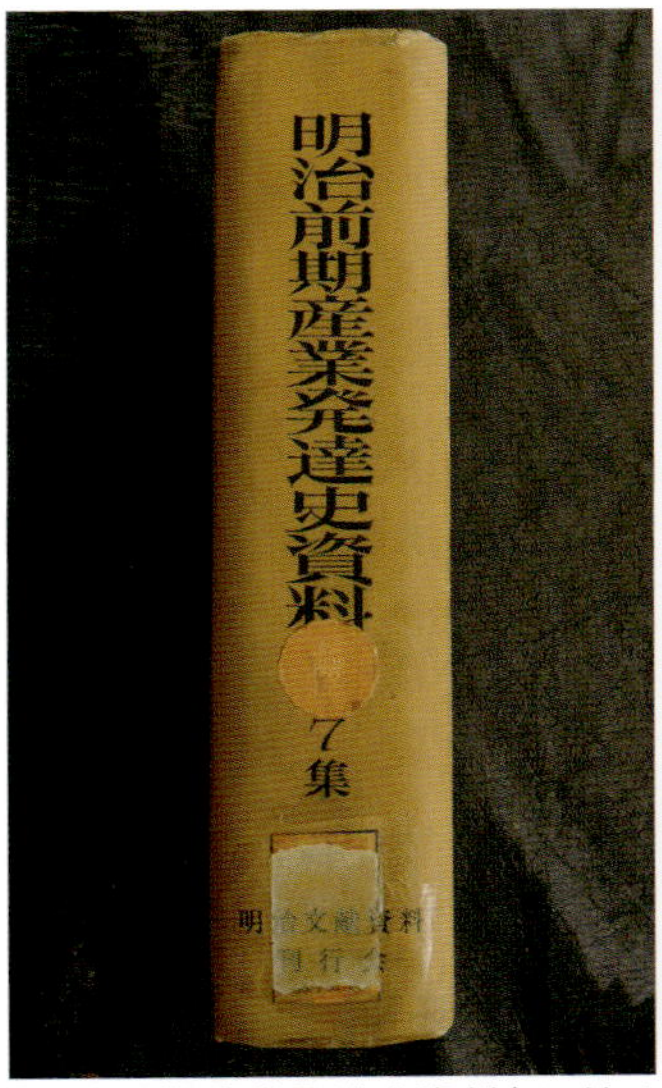

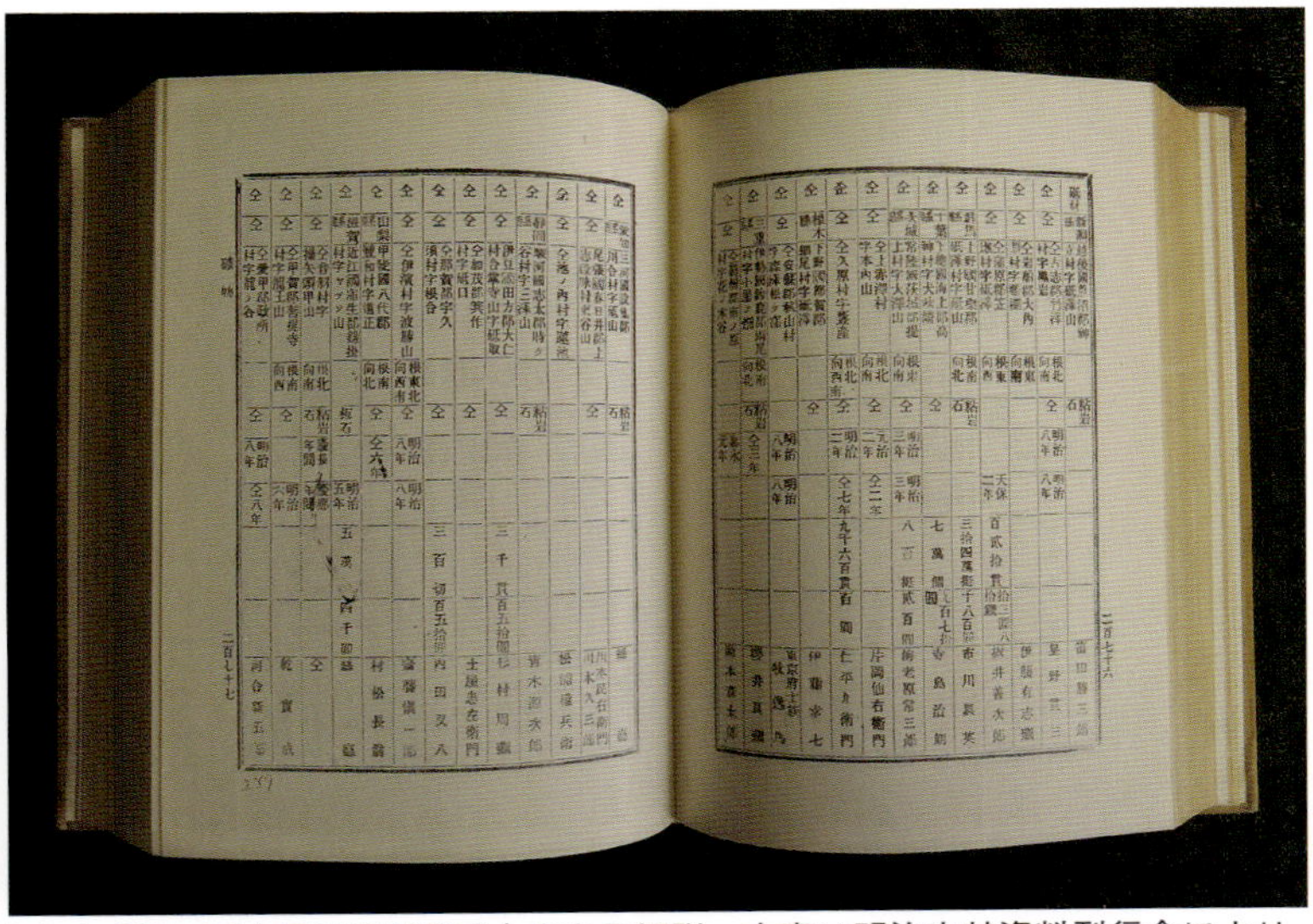

「明治前期産業発達史資料」に納められた「第一回内国勧業博覧会」の出品解説。本書は明治文献資料刊行会により、1962年に刊行されたもの。産業としての砥石の重要度を知る貴重な資料だ。

も微細な粒子の粘板岩を使用した「合砥《あわせど》」という仕上げ砥石は「丹波帯」と呼ばれる京都府、福井県、滋賀県の三県に跨がる丹波高地でのみ採掘されました。

需要は減っても衰えない魅力

近代の砥石の歴史を見ると、荒砥・中砥と、合砥では少し違った歩み方をしています。

荒砥・中砥については、戦後になって人造の荒砥・中砥が普及し出すと、それまでは天然の荒砥・中砥を扱っていた問屋は、品質の安定した人造砥石を扱うようになりました。規格品として流通させやすい人造の砥石は、問屋にとっては売りやすい商材だったのでしょう。何より人造の荒砥・中砥が優れていたからこそ、天然荒砥・中砥は市場から姿を消していったのだと思います。

ところが仕上げ砥である「合砥《あわせど》」については、人造ではなかなか再現できない要素があるようで、刀剣や大工道具、料理の世界でも未だに需要があります。もちろん全体数としては大幅に減少していますが…。

何しろ人造砥石が出現し、さらには電動工具の普及や、カミソリなどの刃物が替え刃式になり、研ぐ必要のある刃物を使う頻度が減少したのですからやむを得ない話でしょう。

それでも、切れる刃物を必要とする料理人や大工職をはじめとしたさまざまな分野で活躍する職人たちを中心に、合砥の人気が衰えないのは、やはり天然ならではの研ぎ味に、人造砥石では得られないものがあるからでしょう。

天然荒砥・中砥の実力

では人造砥石の出現で、ほぼ全ての産出地が消滅した荒砥・中砥について、それらの天然砥石は現在どのような評価を受けているのでしょうか。

「切れる刃をつける」という観点からだけ考えると、人造の荒砥・中砥は十分にその役割を果たしていますし、技術の進歩に伴い更なる進化を続けています。

実際、包丁に限らず大工道具やその他多くの刃物を研ぐ時に、人造砥石を全く使わないという人はほとんどいないでしょう。

そのような状況を考えると、天然の荒砥・中砥を紹介する意味は無いと思われがちですが、研いだときに刃に残る傷の深さや、仕上げ砥に移行した時の研ぎ味には、やはり天然ならではの良さがある…という人もいます。

一般家庭において包丁を研ぐときに、そこまで考える必要はない…と考える人ももちろんいると思います。しかし研ぐ事そのものに興味を持ってしまった人にとっては、とても魅力ある世界だと思いますので、ここでは天然の荒砥から合砥まで、さまざまな天然砥石を紹介していきます。

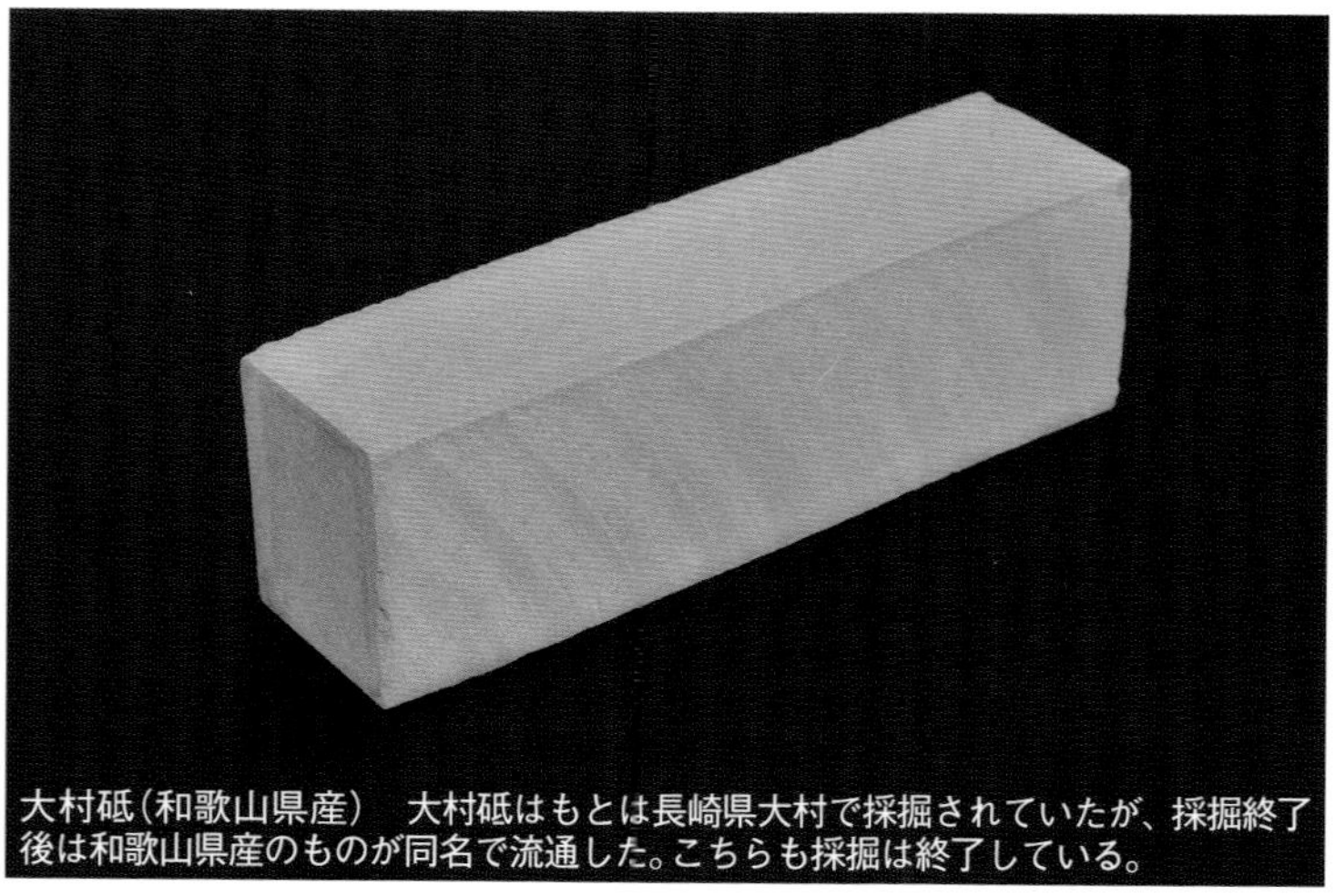

大村砥(和歌山県産)　大村砥はもとは長崎県大村で採掘されていたが、採掘終了後は和歌山県産のものが同名で流通した。こちらも採掘は終了している。

天然の荒砥について

荒砥は、天然砥石の中で最も砥粒の目が粗い、砂岩を使用した砥石です。

産出地と砥石の呼称は長崎県(平島砥)、佐賀県(笹口砥)、長崎県、和歌山県(大村砥)が有名です。

欠けた刃をおろしたり、刃物の形状を整えるために使用されてきましたが、現在では人造の砥石に完全に役割を奪われたといっても過言ではないでしょう。

天然の中砥について

日本各地で産出された中砥も、昭和の中頃には人造砥石に主役の座を奪われ始めたようです。天然にはない均一な研削能力と、職種によっては年間に何本も研ぎ減らしてしまう消耗度を考えれば、当然かも知れません。

明治10年の第1回内国勧業博覧会に出品された天然砥石の出品解説には、天然砥石の産出地として全国173カ所が記載され、そのほとんどが中砥の砥石山だったということです。

人造砥石が主流となり、半世紀を過ぎた現在ではその全ての産地及び名称を調べることは困難ですが、名倉砥のように、合砥の表面を修正するドレッサーとして、現在でもまだまだ需要がある砥石もあります。

個体差が大きく、性質についても一概には説明できない、合砥よりある意味マニアックな砥石ですが、興味のある人には目を皿のようにしてでも探したい砥石です。

夏屋砥（岩手県産）　粒子が粗めで、軟らかいものは包丁向きといわれている砥石。

改正名倉砥（山形県産）　日本刀剣の研ぎに昔から使用されている砥石。

五十嵐砥（新潟県産）　研磨力と粘りがあり、人気の高かった砥石。

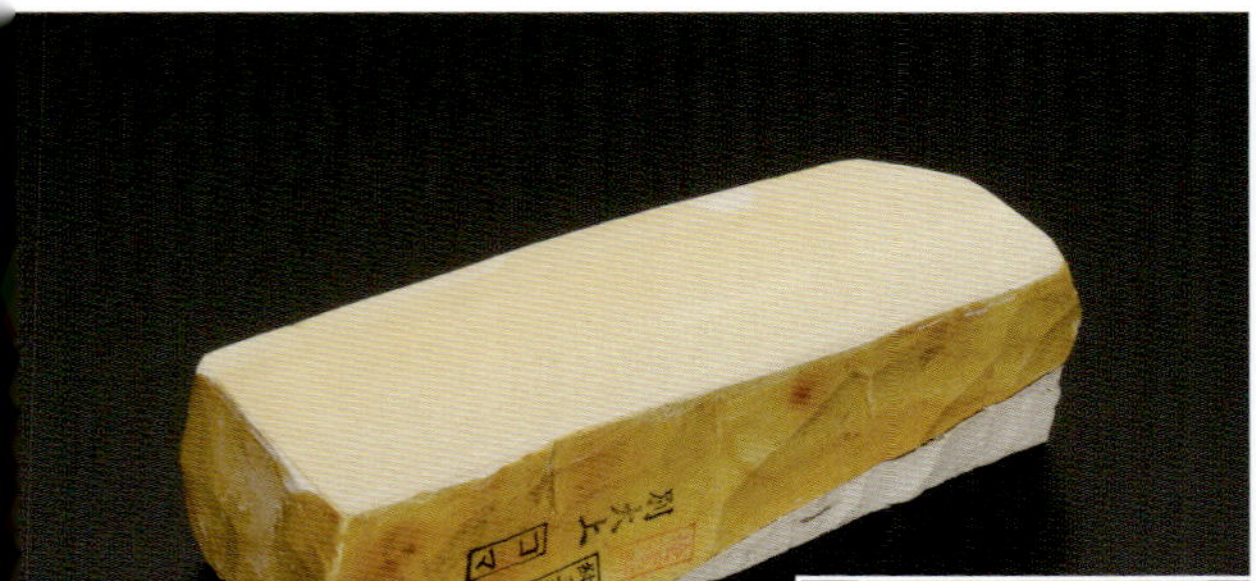

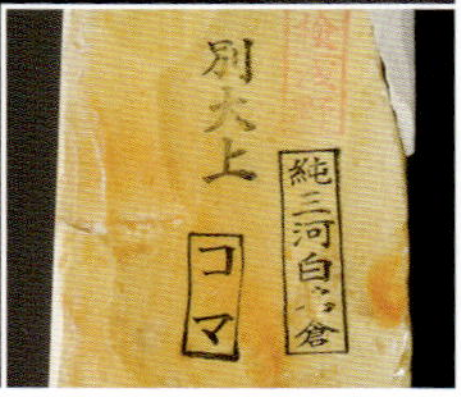

三河名倉砥（愛知県産）
浅野検印の入ったものは高額で取引される。

虎砥（群馬県産）　虎砥。中砥としては目が粗い砥石。

浄慶寺砥（福井県産）　赤砥。縞目と並び今も人気がある。

沼田砥（群馬県産）　“ひょうたん”と呼ばれる石で、虎砥に比べ目が細かい。

浄慶寺砥（福井県産）　縞目。刀剣用の中砥として、古くから知られていた。

三河名倉砥（愛知県産）　白名倉と呼ばれ、対馬砥と同様に仕上げ砥の修正に使用される。刀剣や勲章の研磨用に使用されてきた。

伊予砥（愛媛県産）　層により硬さが違う。左が一番粗く右が一番細かい。

青砥（京都府産）　合砥とは異なり、柾目が研ぎ面になる。以前は湯の花、岡花、青野山などと呼ばれる多くの砥石山が点在していた。

対馬砥（長崎県産）　黒名倉とも呼ばれ、仕上げ砥の表面修正に使われる。

門前砥（京都府産）　青砥、佐伯砥とともに丹波名産の中研ぎ用砥石として人気が高かった。青砥に比べると産出量は少なかった。

備水砥（熊本県産）　刀剣にも使用される。

伊予砥（愛媛県産）　左から赤星、黒星、銀星。

現在も人気の衰えない「合砥」

包丁研ぎにおいて、天然砥石を使う人がどれだけいるかと問われれば、それはほんのひと握りの人たちと答えざるを得ないでしょう。何しろどこの家庭にも包丁の1本や2本必ずありますが、その中で複数の砥石を使っている人、さらには天然砥石となってくると、その割合は小数点以下のパーセンテージであることは間違いありません。

とはいえプロの料理人、割烹や料亭、寿司屋などで柳刃包丁を使い、角のキリッと立った刺身を切る職人たちには気になる存在のようです。またそういった専門包丁を使用するアマチュアにとっても、切れ味を追求している以上、放ってはおけない分野です。

少し世界を広げて、大工道具のカンナやノミを使う大工さんまで見渡すと、その魅力に取り憑かれた人たちはさらに多くなるでしょう。

中でも人気が衰えない天然砥石が、京都を中心とした丹波山地でのみ採掘される「合砥《あわせど》」です。

明治から昭和にかけての最盛期

京都の合砥の発祥地は菖蒲谷《しょうぶだに》と、江戸時代に発行された「日本山海名産図絵」にあります。また、梅ヶ畑の郷士、本間藤左衛門時成が菖蒲谷の山中で発掘した砥石を後鳥羽上皇に献上し、建久元年（1190年）に、源頼朝から「日本礪石師棟梁《れいせきしとうりょう》」に取り立てられたとあります。

鎌倉時代から京都の合砥は採掘され始めたわけですが、刀剣が主な武器として使われた時代ですから、それを研ぐ砥石も重要な物資として、幕府が管理していました。

幕末まで続く武家社会では、砥石も当然官営の時代が続きました。

明治に入り地租改正に先立つ土地制度の変更で、京都では砥石鉱の売買が認められ、民間での取引が活発になります。京都の合砥が広く一般に使われはじめるのはこの頃からです。

京都天然砥石組合編集による、「京都天然砥石の魅力（改訂・三版）」には、最盛期は明治中期から昭和初期までの五十年間と、戦後から昭和四十年までの二十年間とあります。明治以降、多くの事業主が山の権利を買い取り、砥石の採掘が活発におこなわれたことは想像に難くありません。

さて、現在ではそのほとんどが閉山している合砥の産地ですが、これまでに採掘されたものや、現在でも採掘が続けられているわずかな砥石山から掘り出された砥石が流通しています。そしてそれらの砥石は昔ながらのブランド名や砥石層で扱われており、高額なものも少なくありません。

そこでまずは合砥の基本的な知識を紹介しましょう。

「合砥」の基本知識

合砥は兵庫県から京都府、福井県、滋賀県西端部にかけて広がる丹波山地がその採掘地です。民有化される以前、幕末までの時代に、すでに現在でも有名な砥石山はいくつも存在しました。

「向田《むかいだ》」「中山」「木津山《きづやま》」「菖蒲」といった産地名がこれにあたります。他にも「大突《おおづく》」や「奥殿」など、天然合砥に興味のある人なら1度や2度は、砥石に押されたハンコを見たことがあると思います。これらの産地の合砥が現在でも人気の高い大きな理由として埋蔵量の豊富さが挙げられます。

天然ものとはいえ、量が多いということは、それだけ安定した品を供給できた、ということです。もちろんそれらの産地の砥石を使って研いだ研ぎ味の良さが、噂として広まったということもあるでしょう。

産地についてもう少し詳しい話をします。下の地図にあるように、砥石山はかなりまとまった分布をしています。「中山」や「木津山」はその名の通り山の名がそのままブランドとして流通しています。しかし山＝ブランドという決まりがあるわけではありません。

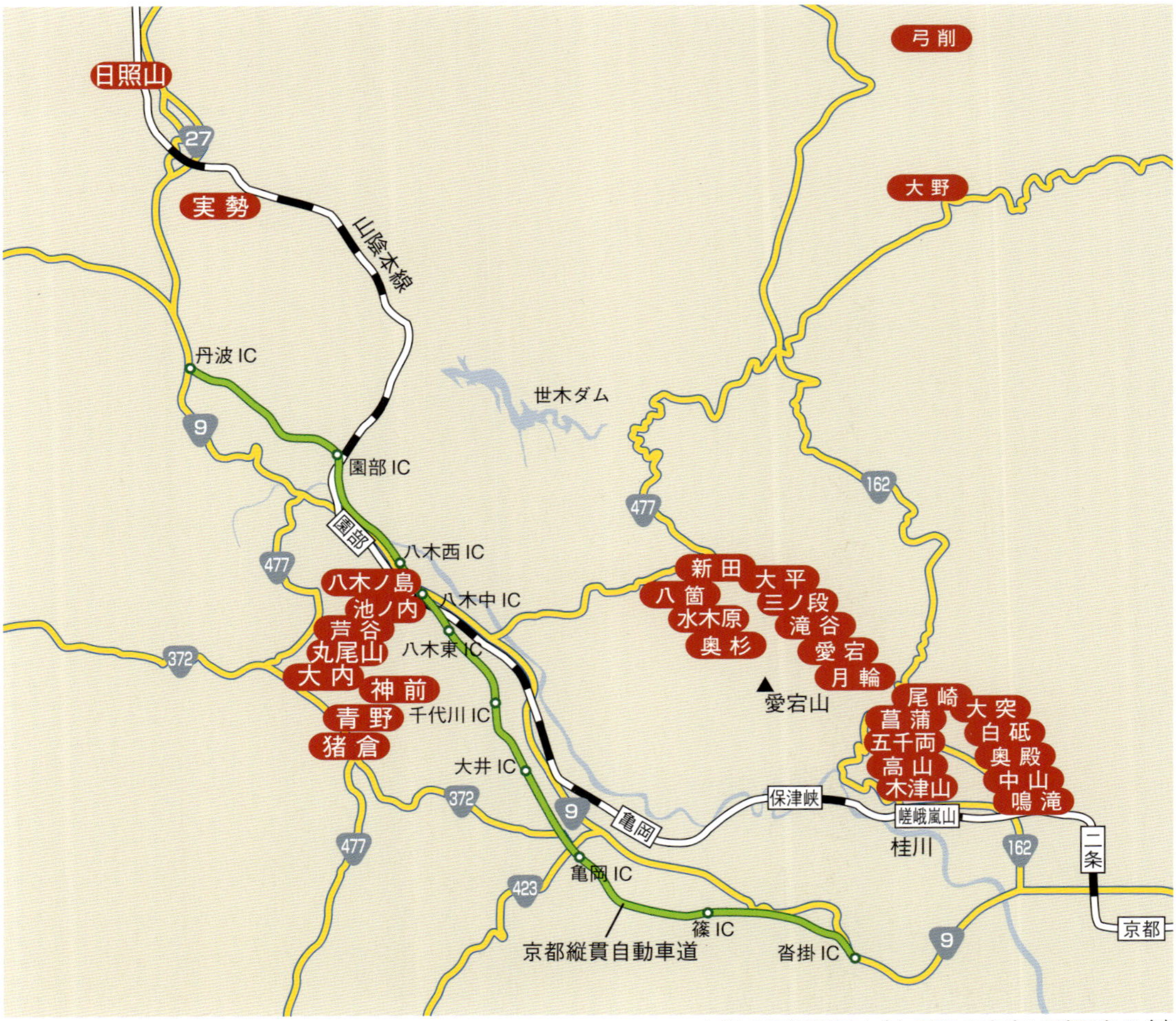

京都の天然砥石山（赤長円の文字は砥石山の名）

京都の砥石業界では愛宕山を堺に東の産地を「東モン」と呼びます。こちらは産地としては古い山がたくさんあります。このあたりの砥石山は明治に入って売買が認められたので山を買い取った事業主が、自分の名前を付ける、といった例も見られます。

一方、愛宕山の西にあたる亀岡北西の産地は「西モン」と呼ばれ、村営の山が多く、採掘する「穴」の権利を買って砥石を掘るので、山そのものではなく、採掘穴に名前を付け、それが砥石のブランドになる例も多いようです。現在でも採掘を続けている「丸尾山《まるおやま》」がその例です。

採掘層による分類

また産地の他に「戸前《とまえ》」「合さ」「巣板」「赤ピン」といった層の違いによる分類があります。一般的には「戸前」「巣板《すいた》」が人気商品ですが、これは層が厚く量が取れるという要素も含め、刃物を研ぐのに適した硬さの石が多いためでしょう。売り手がいくら「良い砥石」だと言っても、実際に自分の刃物を研いでみて、使ってみての評価となるはずですので、長い合砥の歴史の中、多くの職人たちによって与えられた評価なのだと思います。

天然の砥石は、二つと同じものがないのですから、写真で紹介してもそれを手に入れることができるわけではありません。

しかし、良い砥石、人気のあった砥石を見ることで、砥石選びの参考にはなると思いますので、いくつかの合砥を紹介しながら、購入のポイントについて考えていきます。

滋賀の天然砥石山（赤長円の文字は砥石山の名）

判別の難しい天然砥石の世界

包丁だけではなく、鉋《かんな》や鑿《のみ》の仕上げ砥として、根強い人気がある合砥ですが、現在採掘がおこなわれている砥石山はほとんど無く、「中山」「奥殿」などの名で知られている合砥は、全て現在まで残っている在庫品です。

採掘がおこなわれている「丸尾山」、若狭の「田村山」などは採掘している砥石師が現存していますので、産地に関する信用度が高いと考えてよいでしょう。

難しいのは在庫品として、人の手から手へと渡っていくうちに、はっきりとした産地がわからなくなってしまったような砥石です。

全盛期から比べると、廃業した人も多く、それらの砥石が人手に渡り、さらにまた他の業者に渡るといった話はよく聞くところです。

本来は刃物を研ぐことを目的とした石ですので、ブランドにこだわるより、実際の研ぎ味にこそ、その価値は存在するはずです。売り手と買い手がそのことを理解していれば、「試し研ぎ」をしてから購入する、昔ながらの販売方法にも肯けるでしょう。

たしかに二つと同じ物が存在しない以上、自分が欲しがっていた砥石かどうかなど、使ってみなければわかるはずがありません。だからこそ高価な天然の合砥を、「試しに買ってみるか…」といった感覚で買うのには抵抗があって当然です。

昔の職人さんは良い刃物を手に入れると、「こいつの嫁を探さなくちゃ…」と、その刃物に合う合砥を探し求めた…などという話も残っています。また「何度も失敗して良い石に当たるんだ…」などとも言います。

こうして見ると、初めて天然砥石を買おうと思っている人にとっては、なかなかに敷居の高い世界です。

戸前(尾崎)　均一な卵色をした砥石。砥石の減り方から、使用者が信頼している砥石だと推察できる。

戸前(産地不明)　大正四年に散髪屋の店主が手に入れたとされる砥石。台の裏に購入年月日が書かれている。散髪屋の家屋を解体する際に大工が見つけたもの。

京都でも代々続いている砥石屋の砥石は採掘地がはっきりしていますし、合砥の専門知識も豊富なので、研ぎたい刃物を持ち込んで、それに合った砥石を探すのが理想的です。

個人差が出る砥石の評価

天然砥石のうち、合砥は産地や所有者の名前などで選別されることが多いことは前にも述べました。「中山」や「木津山」は文字通り山の名前です。

親方が5000両で買った山だという理由で「五千両」と名付けられた砥石山の合砥もあります。

たくさんの産地があり、その名を冠した砥石が存在する訳ですが、これらのブランド名から、ここの砥石は良い、ここのは悪い…と判断できれば話は簡単です。ところが実際にはそう簡単な話では無いようです。

何しろ砥石の層は、掘り進むうちに硬い、軟らかい、泥っぽいなどと性質が変わることがありますから、評価している人が使った砥石の性質により、同じ産地の砥石でも評価が分かれてくるからです。

戸前(五千両)　戸前の「浅黄」。五千両という名は山の値段だといわれている。

戸前(中山)　これは理髪店主が以前購入したもの。当時は剃刀の研ぎには必需品だった。

戸前(中山)　「マルカ」ブランドの砥石。砥石の木端に和紙を巻き養生している。

また、砥石自体の問題だけで無く、「刃物と砥石と研ぎ手」の違いによっても評価は違ってくるでしょう。それでも「特撰品」などが存在し、同じ大きさの砥石でも値段に違いがある以上、やはり選ぶ基準がほしいところです。

埋蔵量が多い人気の砥石

一つの基準として考えられるのが、「人気が高い」という基準です。これまでにも何度か出てきた名前ですが「中山」、「木津山」、「奥殿」など、名前の通った砥石を選ぶ…という考え方です。

有名な砥石山の砥石、そして人気の高い砥石の採れた山は、どれも埋蔵量が多かったといいます。抜群に多かったのが「向田《むかいだ》」、「木津山」、「中山」、「奥殿」、「大突」で、これらの産地からは良い石が安定して採れました。つまり当たり外れが少ないことが市場での信用につながったのではないかと考えられます。

ただし人気が高く、在庫品しか存在しないわけですから希少性も手伝い、高額な砥石が多いことにもなります。

もちろんその他の産地からも良い砥

白巣板(奥殿)　埋蔵量が多かった奥殿の白巣板。

蓮華巣板(大平)　大平も古くから採れた産地。蓮華巣板も人気が高い。

合さ(中山)　マルカの合さ。軟らかめな砥石で、非常に滑らかな研ぎあたり。

石は採れましたが、使えば消耗するのが砥石の運命ですので、現在残っているものは、さらに希少性の高いものとなっている砥石もあります。

いずれにせよ比較することがなければ、その善し悪しを知ることは困難です。

層から見た砥石の種類

産地の他にも層による質の違いが挙げられます。

砥石層は堆積した位置などにより形成の仕方が異なります。それにより採れる砥石の種類（呼び名）も違います。「本口成り」と呼ばれる層では「赤ピン」「天井巣板（内曇）」「八枚」「千枚」「戸前」「合さ」「並砥」「本巣板」「敷き白」などと呼ばれる層があります。層が違えば当然品質にも違いがあり、研ぐ刃物の種類によって向き不向きがあります。

さらには研ぎたい刃物の鋼材の種類、硬さなどによっても、砥石の相性は変わってきますので、最後は刃物を研ぐ技術と経験に頼らざるを得ないのもまた事実です。

買い得品を選ぶ

砥石は石の状態や模様、大きさなどによっても値段が変わってきます。

傷や欠けがなく、素性の良い大きな砥石となると数百万という石もあります。逆にレーザー型という和剃刀を研ぐときに使用する小さめの砥石は、良質のものが比較的安く手に入ります。

合さカラス（中山）　「カラス」は昔、理髪店によく出回っていた。

ほとんどの理髪店が替え刃式の剃刀を使用するようになり、レーザー型の需要が急激に落ち込んだことが原因として考えられますが、人の肌に当たる刃物用の砥石なので、質の良い砥石が使われることが多く、それが今も残っているようです。

サイズは小さく、136㎜×82㎜ほどしかありませんが、研ぎ方によっては充

合さカラス（中山）

分使えますので、こういった大きさのものを探してもよいでしょう。

銘柄による違い

砥石の人気について、産地によるブランドを紹介しましたが、京都天然砥石組合では、その他にも砥石に浮き出た模様や色などによって「特別銘柄」、「優良銘柄」を区別しています。

右ページの二つは合さ層に出る「カラス」と呼ばれる特別銘柄として扱われる砥石です。石の表面に黒い紋様が出ているのは一緒ですが、紋様の出方や砥石自体の色の感じが若干違うのがわかります。このくらいの違いの砥石はごく普通に存在するのが天然砥石の世界です。

自然が作り出した模様ですから、同じ銘柄でも大きく違って見えるものもありますが「京都天然砥石の魅力（改訂・三版）」に従ってさまざまな模様や色の「特別銘柄」、「優良銘柄」についてサンプルを見ていきましょう。

戸前（高島妙覚山）　滋賀県で取れた天然砥石。

戸前梨地（相岩谷）　本口成りで中硬～硬い砥石が中心。

戸前（愛宕）　中石成りの山で、軟らか目の砥石が多い。

ウロコ（日照山）　ウロコは日照山の合さに当たる層。戸前に比べ厚みが薄い層のため産出量は少なかったようだ。

砥石の銘柄について

天然の砥石には人造砥石にはない一つ一つの個性があります。さまざまに浮き出た模様、逆に筋一つない綺麗な砥石…それらの砥石には同じ層で採れた砥石でも特別な銘柄として商品識別がされています。

それらは「特別銘柄」、「優良銘柄」などに区分されます。

ほかにも彫刻刀用や鎌砥用などといった研ぐ刃物の形状に合わせて溝を切るなどの加工をした「特定銘柄」、筋が入っていたり、端物などの二級品、三級品として扱われる「徳用銘柄」などがあります。

また自然にできた模様でも、砥石としてマイナスになるものもあり、それらは「選別」と称されています

特別銘柄

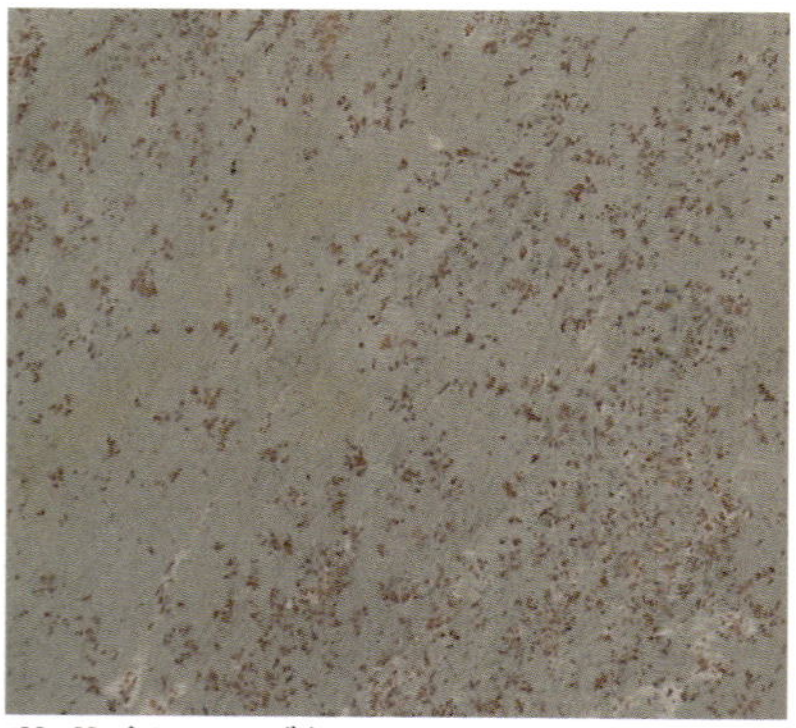

蓮華（れんげ）
蓮華色の紋様が散りばめられた巣板層の砥石。特に白巣板が高級とされる。

梨地（なしじ）
戸前層に表れる、黄色地に梨の表面に似た紋様が浮かんだ砥石。

巣無し（すなし）
巣板には通常「巣」が入るが、巣無しは巣と巣の間隔が広いために採れる貴重な部分。上が巣無し巣板で下が普通の巣板。

羽二重(はぶたえ)
戸前、八枚、白に出る、キメが細かく、滑らかな砥石。

優良銘柄

黄板(きいた)
黄色、卵色をした砥石。一般的に合砥は黄色い石が人気がある。

色物(いろもの)
黄褐色、赤紫などの色をした砥石。写真の砥石は「いきむらさき」と呼ばれている。

浅黄(あさぎ)
薄青または濃灰色で硬質。硬い砥石を好む向きに人気が高い。

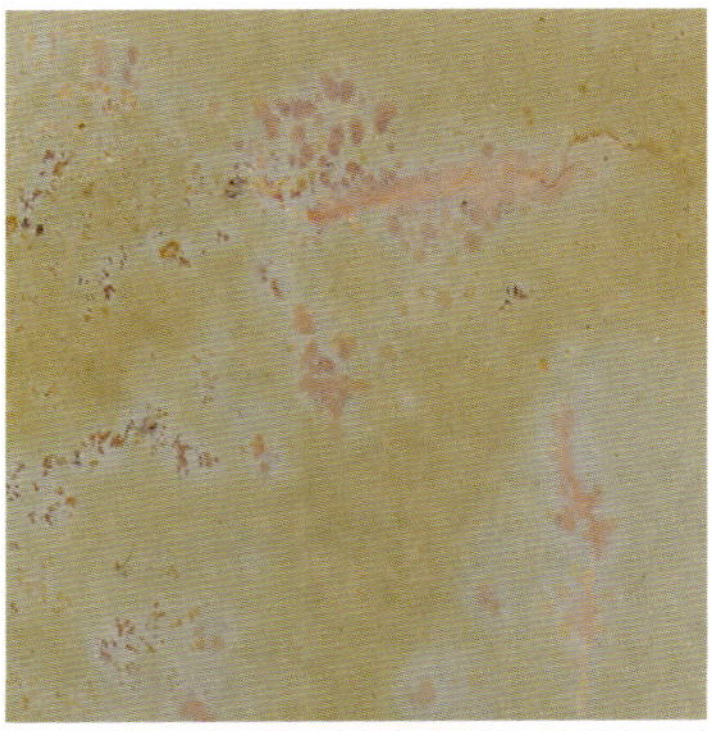

紅葉(もみじ)
紅葉を思わせる赤や黄色の紋様が浮かぶ、巣板層の砥石。

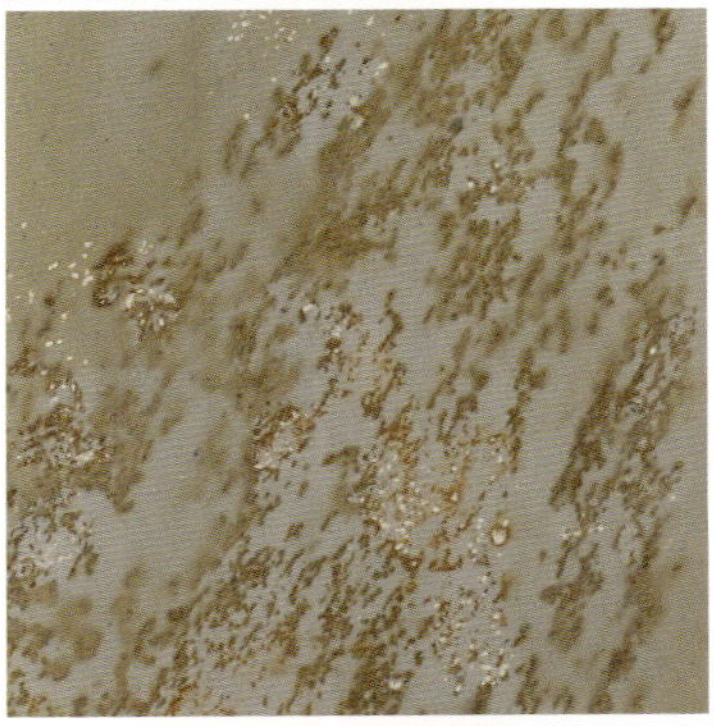

曇(くもり)
研ぐと地金が曇り、波紋を浮き立たせる。内曇の逸品。

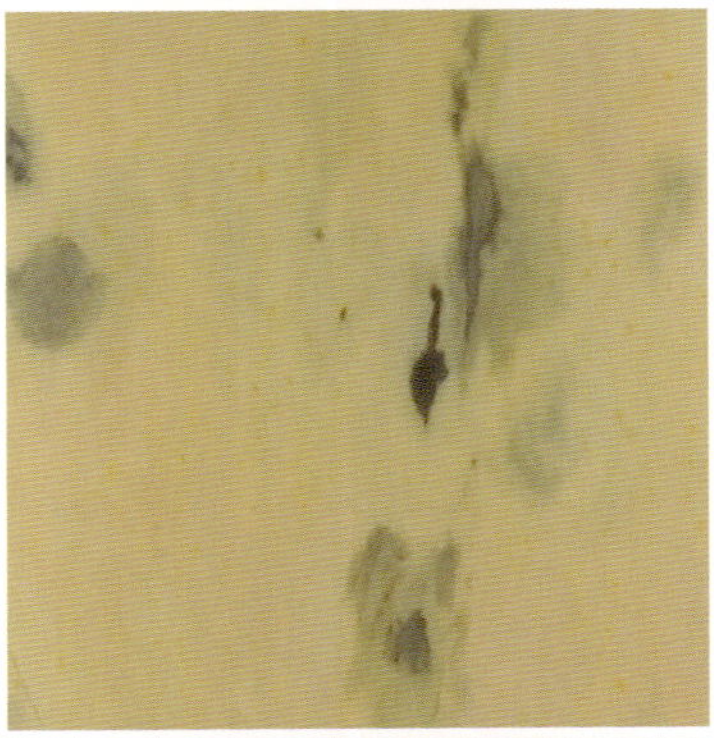

烏(からす)
烏のような黒い斑模様が出る。層と層との間に出るが、合さ層のものが特級品として扱われる。

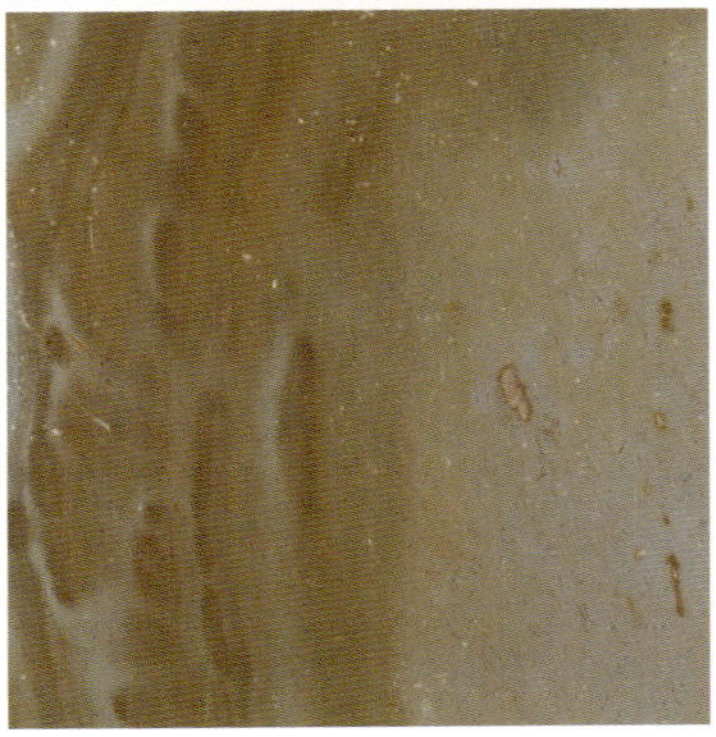

烏(からす)
こちらも烏だが、上の紋様とはかなり違いがある。「からす」は層の変わり目に出てくる。流通している砥石は合さがほとんど。

砥石の選別ついて

天然砥石には天然ならではの癖や筋などがあります。工業製品のように品質管理の行き届いた品は期待できません。

当然のように癖や筋が存在し、中には研ぎに差し障りのない筋もありますが、反対に刃を傷めてしまうような筋もあります。

もちろんまったく使い物にならないような砥石は販売されませんが、多少の筋なら、その層さえ削り取ってしまえばまた使えるものも多く、製品になります。

もし気に入った砥石がそんな砥石だったら、削らなくてはならない層の厚みと価格を見比べ、自分にとっての価値を見極めることが必要です。

一般的な砥石は四角く成形されている。この場合は傷のある部分を避けて、規格寸法に切り販売されることになる。

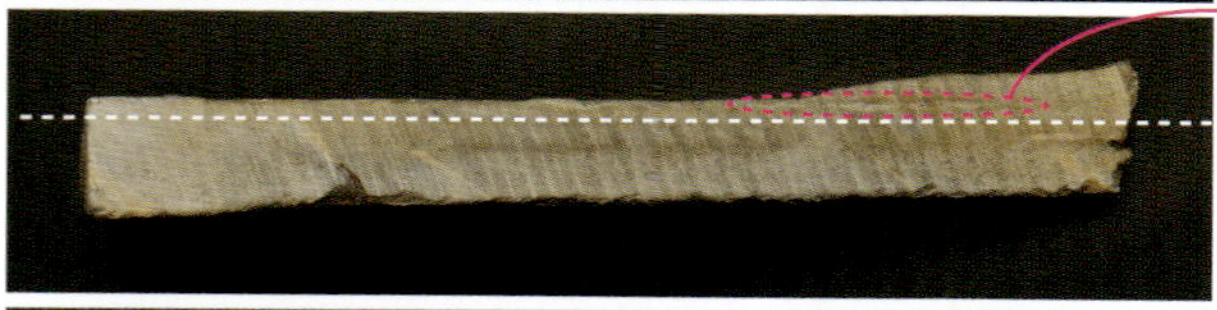

飛びがね

板目に挟まれたカネの小片。木端に見えているカネが表面にも出ている。この層を削ってしまえば商品として砥石になる。

牙目（がめ）

硬い黄鉄鋼の筋で、真っ直ぐに層に沿って入っているものは商品になるが、写真のように表面や柾目に繋がって出ているものは「牙目が暴れている」状態で、商品にならない。牙目の部分で刃物を研ぐと刃こぼれをおこすこともあるので、使用しない方がよい。

悪い部分のオンパレードのような石。いろんな方向から筋が入っており、砥石として使える部分の取りようがない。

飛びがね
斜めに入っている飛びがねが表に出た様子。

かね筋
研ぐ時に当たった感じがでる。

毛筋
糸のような細かい筋で、これも研ぎには影響しない。

べっ甲筋
同じ筋でもこちらはさわったり、引っかかったりしないので研ぎに影響しない。

焼（やけ）
茶色い線が入った部分。少し硬い。濃い色をした焼は障る。

鯰（なまず）
黄灰色の斑模様。泥気が多く少し軟らかい。

他にも「選別」される特長として、下記のようなものがあります。

石粒（ぶつ）	板目に挟まれた石の小粒。
胡麻（ごま）	砥石面に出る、小さな黒点。
合いがね	板目に付いたカネの薄板。
環巻（かん）	茶褐色の木目模様。
巣（す）	ガスが抜けたあと、面と柾目に巣模様ができる。
饅頭（まんじゅう）	厚い板に餡のような固まりがある。

京都、天然砥石の魅力

いかに優れた包丁でも、その切れ味は研ぐことによってしか生まれない。料理の表舞台で活躍する包丁を陰で支えるのが砥石。

古より丹波山地で採掘されてきた「天然仕上砥」は武家社会においては刀剣を研ぐ道具として、広く民間にも流通した明治以降は、カミソリや大工道具など、さまざまな刃物を研ぐ道具として使われてきた。

人造砥石が広く普及した現代においても、その魅力を世に伝えるべく、天然砥石を掘り続ける職人がいる。

天盤が崩れないように、砥石の一部を残しながら採掘する、「残柱式」と呼ばれる採掘方法。右足の向こう側も良質の砥石だが、ここは保安鉱柱として残す。

覆い被さるように岩肌が迫る採掘場。砥石が地表に露出している場所で行う、「露天掘り」と呼ばれる坑内に入らない採掘方法。土橋さんの後方、右上の岩盤から石を落とし、さらに割っていく。

ここで採れる砥石は「天井内曇《てんじょううちぐもり》」と呼ばれる砥石。「矢」と呼ばれる鉄の棒を石の割れ目に差し込み、鎚で叩き入れる。（上）
ある程度入ったところで「矢」をこじり、剥がすようにして岩を割る。（左上）
割れた石の中。はじめて空気に触れた岩肌は「カラス」と呼ばれる黒い斑模様が出ている。加工され、高級品として販売されるのだろう。

まるで地球の割れ目に吸い込まれるように坑内に入る土橋さん。

さらに入ると、少し中が広い様子がわかる。

知らなければとても足を踏み入れる気など起こらない。

土橋さんが入った坑内の様子を、中から撮ったのが下の写真。外からではこれほど広い空間が広がっているとは思わない。普段は下の坑口から入るが、露天掘りの石を下ろす時などはここから降りるという。

坑内の合さの層。ここでも「カラス」と呼ばれる特級銘柄が採れる。ここでおこなわれているのは洞窟の天井部分を掘って石を落とす「透かし掘り」という採掘法。地面に向かって掘るより効率良く石が掘れるという。まずは「矢」を入れ、「せっとう」という鎚で叩く。

四代続く砥石職人

京都盆地の西、亀岡市。この地方には高級ブランド砥石の産地がたくさんありますが、現在でも採掘している砥石山は、わずかしか残っていません。

その一つ、丸尾山で明治10年から創業している「砥取家」。四代目として砥石を採掘し続ける土橋要造さんに、採掘現場を案内していただきました。

敷居が高い天然砥石

砥石というと、現代では人造砥石しか思い浮かばない人もいるかも知れません。実際に、大工をはじめとした木を扱う職人やプロの料理人でも、人造の砥石しか使わない人もいます。しかし切ることに探究心のある職人にとって、天然砥石はただのマニア向け蒐集品ではありません。関心はあるものの、それでもやはり手を出しかねるとしたら、それは当たり外れのある高額な天然の砥石が、本当に優れた石かという不安からではないでしょうか。

試し研ぎができる販売形態

日本だけでなく、海外からも多くの人たちが訪れる砥取家では、購入前に実際に持ち込んだ刃物を研いでみることができます。

これは砥取家さんに限った話ではなく、古くからある砥石屋では日常的な風景だったようです。ホームセンターで買う人造の砥石では考えられない話ですが、天然砥石の販売といえば、この販売形態が一般的でした。

とはいえ町中の道具専門店でも、最近は「試し研ぎ」のできる店はほとんどありません。その理由は販売店側の天然砥石に対す

「矢」を深く突き刺し、こじるように石を落とす。石の落ちる方向を計算しながらおこなう、危険な作業だ。

坑内を歩くときは安全が第一。「せっとう」で浮いてる岩がないか確認していく。

「仕込み」という試し掘りで最初に掘ったのがこの穴。ここから丸尾山の歴史が始まった。（上）
穴の中から撮った写真。左側の光が差し込んでいる所が上の写真の入り口となる。この穴を掘り進んでいくうちに粘土層から砥石の層が現れた。そこで次は採掘用の穴を横から掘っていく。（右）
この層で採れるのは巣板。黄色みがかった卵色巣板が採れる。（下）

る知識の不足、販売頻度の極端な低下、一人の客に対する対応時間の減少等、いくらでも思いつきそうです。

だからこそ遠路はるばる、この地を訪れる人が後を絶たないのでしょう。

需要に合った採掘量

しかし掘れば掘っただけ売れるほど、高い需要は望めません。以前は大勢の職人衆が働いていたといいますが、今は土橋さん一人が山に入り、石を掘り、さらに加工し、製品化までしています。

包丁、ナイフ、大工道具などの生産量を考えると、やはり天然砥石のニーズは多いとは言えないようです。

和食から拡がる砥石の未来

昨年（2013年）、土橋さんが発起人となり「一般社団法人日本研ぎ文化振興協会」を設立しました。「和食」がユネスコ無形文化遺産への登録を目指していた時期で、和食には必要不可欠な和包丁の研ぎについても世界に発信するべき高い技術だと考えたからだといいます。

裏方的な見方をされがちな研ぎの文化、しかし裏方抜きには表舞台が栄《は》えないのもまた事実でしょう。

和包丁が世界的に人気となりつつある中、土橋さんは天然砥石の有用性について、まだまだ研究を続けていきます。

採掘には必ず持って行く道具類。(左)
仕込みによって砥石の存在が確認されてから掘られた採掘用の穴。(中)
採掘現場のそばには道具類を入れた立派な小屋がある。お客さんの大工さんが作ってくれたそう。(右)

採掘した原石は搬器に載せる。(上)
そのままトラックの駐車してある場所まで索道を下ろしていく。(左)

京都の天然砥石の歴史

京都の天然砥石の歴史は古く、およそ800年前まで遡る。その種類は、仕上砥として使われる合砥※と、中砥として使われる青砥の2種類がある。

発祥は梅ヶ畑の郷士、本間藤左衛門時成が洛西嵯峨の奥、菖蒲谷で発掘した砥石を、後鳥羽上皇に献上したところ、ご嘉賞にあずかり、建久元(一一九〇)年に源頼朝より日本礪石師棟梁号を授かったことが始まりという。

刀や弓矢が武器であった時代のこと、それらの刃物を研ぐための道具も、やはり重要な軍事物資だった。各時代における国の統治者たちは砥石山を支配し、採掘権を与えたり、冥加金を上納することで、砥石の採掘は認めてきた。

京都の砥石が広く民間に流通するようになるのは明治5年、翌年の地租改正に先立つ土地制度の変更まで待たねばならない。

砥石鉱の譲渡が認められ、砥石山が民間の事業主に譲渡されるようになると、事業主である親方の下に、総請取人、番頭がいて、その配下に多くの職人を従え、地場産業として発展した。

職人は在所の者が多く、農閑期に従事することも多く、その職種も細分化されており、「石《いし》口《ぐち》」と呼ばれる採石頭の下に「荒人《あらひと》」という採石手伝いがつき、「普請方《ふしんかた》」が柱を打ち込んだり枠を組み、トロッコのレールなどを敷いた。他にも二人一組で鉉鋸を挽く「引場方《ひきばかた》」、新しい坑口を探す「仕込方《しこみかた》」、道具の焼き入れや目立てをする「道具方」、坑内の水かきやポンプを操る「水番」などと呼ばれる大勢の職人によって運営されてきた。

京都の天然砥石の最盛期は明治中期から昭和初期の50年間と、戦後は昭和40年までの20年間だという。この間、鉉鋸がチップソーに変わったり、ブルドーザーや鑿岩機といった機械類が登場するが、採掘の方法はほとんど変わることがない。

需要に陰りが見え、多くの砥石山が閉山し、地場産業としての役割を終えるのは、電動工具の普及が大きな要因となる。

これまで手道具主体だった作業を、電動工具がこなし、手作業の受け持つ仕事がごくわずかに限られたことで、刃物を研ぐ頻度は急激に減ってしまったからだろう。

※京都天然砥石組合編「京都天然砥石の魅力」によると京都の天然仕上砥石を総称して「合砥」と呼んでいますが、最近は巣板層を分け、巣板以外の層を合砥と呼ぶことがあります。砥取家さんもこの呼称を取り入れています。

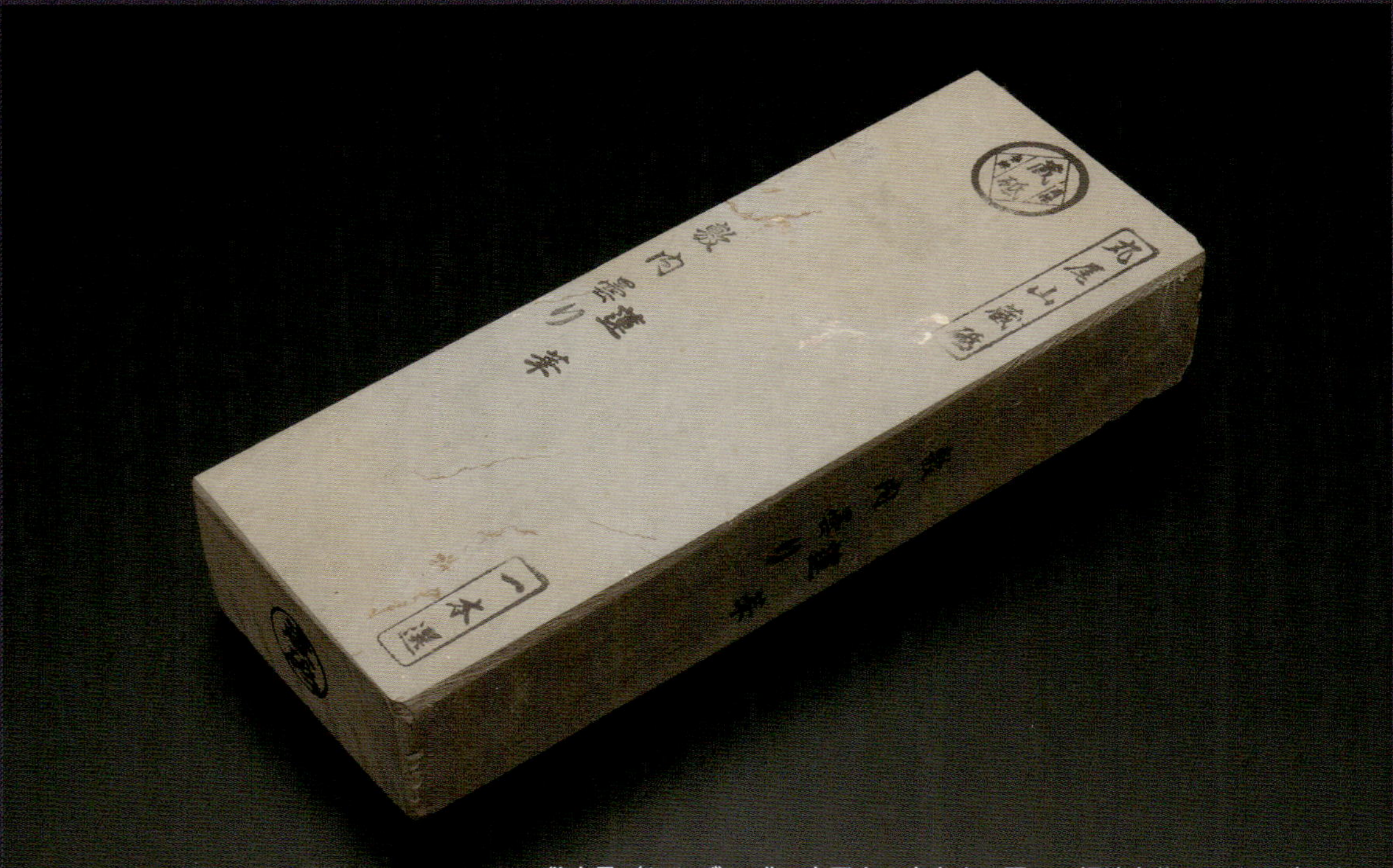

敷内曇（れんげ）　唯一丸尾山で産出する層で、鋼地金共によく研ぎ下す。

黄色巣板　巣板層と合砥層の間にあり両方の要素を併せ持つ。

砥取家で現在販売している砥石は丸尾山が中心だ。また採掘から販売まで一貫しておこなっているので、採掘層を細分化した名称を独自で付けているものもある。

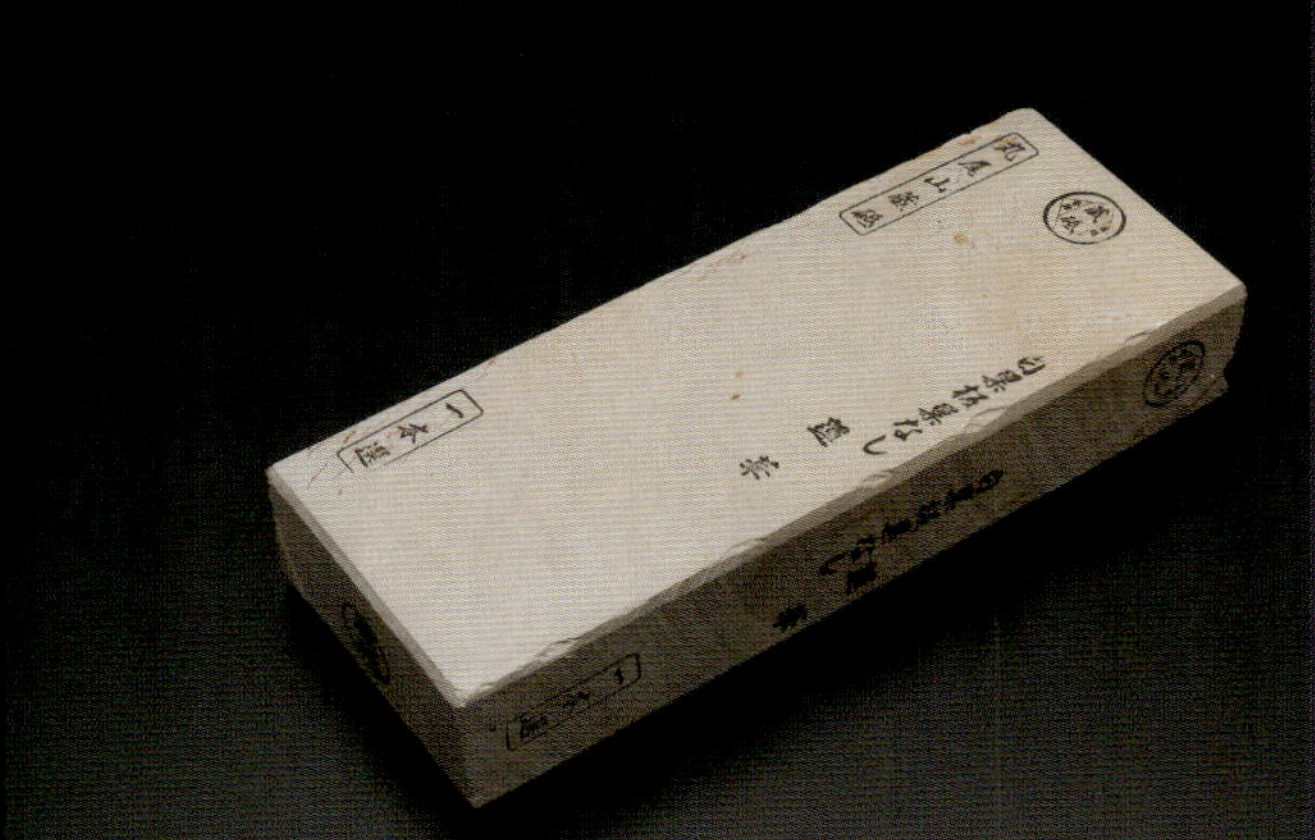

白巣板(巣なし)　白巣板よりやや硬口。同じく曇り系の仕上がり。

白巣板　ほどよい硬さで研ぎ出しの早い実用的な石。仕上がりに内曇効果がある。

新大上　きめが細かく白二鋼から特殊鋼まで幅広い鋼に対応。

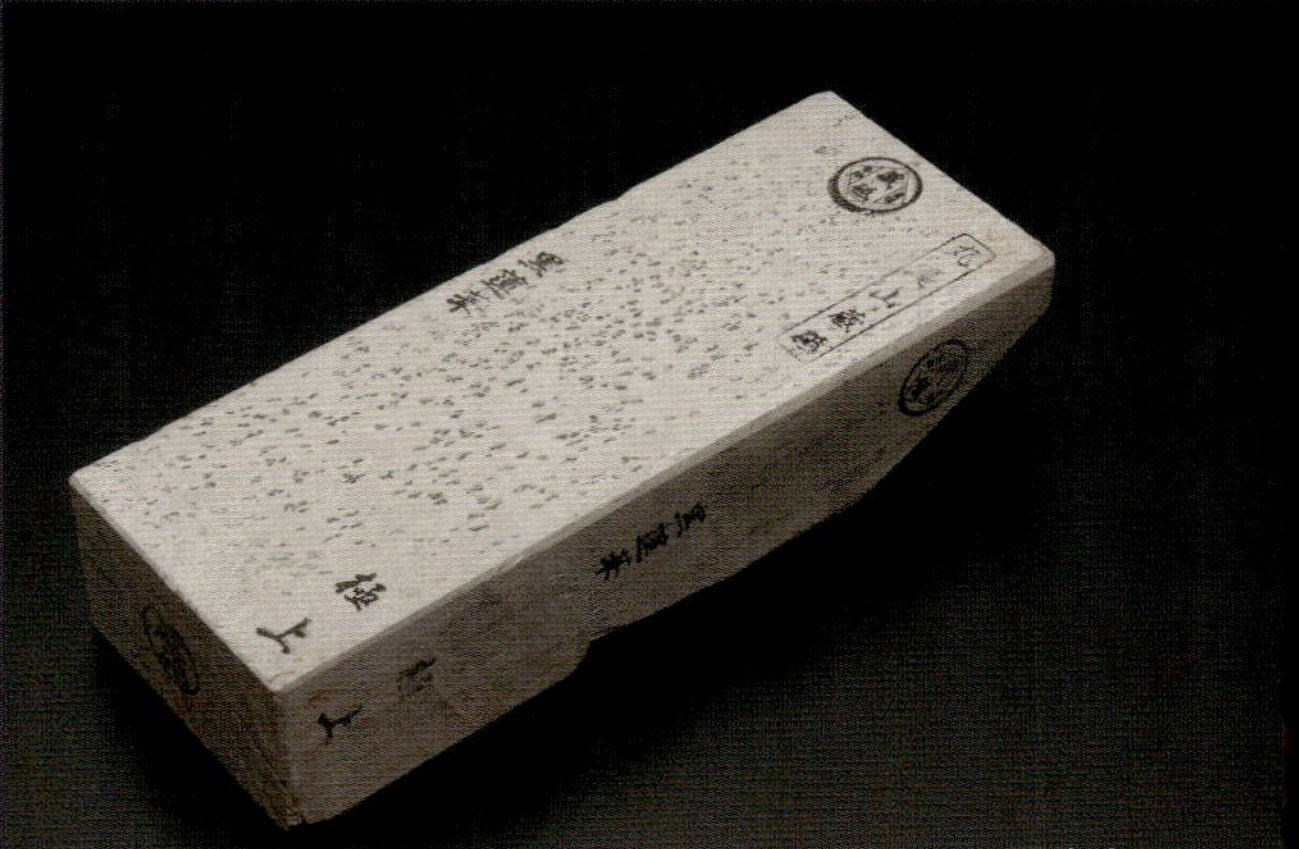

白巣板黒蓮華　炭素鋼の変色には注意が必要だが、研磨力が強くステンレスの最終仕上げに最適。

御廟山　戸前（梨地）　特に硬いものは剃刀砥と同じく最終仕上げでの裏押しや糸引きに最適。

本戸前（いきむらさき）　ほどよい硬さで扱いやすい砥石。戸前層の中で最も粒度が細かい。

山から下ろされた原石はここで砥石へと加工される。加工作業も一人で行う。中央に設置されたモーターから奥に置かれた切断機と手前の「円盤」と呼ばれる面付け機の両方にベルトで動力を伝えるしくみ。

切断機で引石をして、ある程度の形まで断裁する。

明治10年に創業し、現在四代目となる砥取家、土橋要造氏。採掘から加工、販売まで、ほとんど一人で手掛ける。「伝統産業があって、そこに生きる職人さんがいる限り、掘り続けます。」
昨年京都で100年以上続いている企業として「京の老舗表彰」を受賞した。

「ハツリ作業」でチャートを落とし、形を整える。

円盤に砥石を載せ、面付けをする。砥面上は三つに仕切られており、置いておくだけで平面が作られる。一番小さなゴツゴツした石は砂岩で、管から水を落としながら削り、研ぎ粉を出す。

砥取家《ととりや》
京都府亀岡市東本梅町
大内上条20
http://www.toishi.jp/

日本研ぎ文化振興協会

2013年12月、「和食」がユネスコ無形文化遺産に登録された。伝統的な食文化を支えてきた料理人達には切れ味のよい包丁が必需品だ。そしてその切れ味を維持するためには「研ぎ」の技術もまた重要となる。
古来、日本の刃物が海外からも高い評価を受けている陰には「研ぎの文化」があったからに他ならない。世界が日本の刃物に注目する中、「研ぎ」の文化を世界に発信すべく発足した「日本研ぎ文化振興協会」。ここから新たな試みがおこなわれる。

日本の研ぎを世界へ

「研ぐ」という技術は、極めようと思うと実に厄介なところがあります。刃物による鋼材の違い、砥石の種類による研ぎ味の違い、そして研ぎ手の技量の違い、さらには切る対象によっても研ぎ方は変わってきます。もちろんこれは同じ刃物での話であり、鉋、カミソリ、刀剣など、分野が違う刃物では、それぞれに違った研ぎ理論が存在するはずです。

料理の世界において使う刃物といえば包丁ですが、砥石を用いて研ぐ人は、昔に比べかなり減少しました。もちろんプロの料理人や市場などの業者にとっては日常の作業ですが、それは仕事のための準備であり、そうそう研ぎばかりに時間を費やせるものではありません。またプロの料理人でも、「人造の砥石で充分」と考える人が少なくありません。

そんな中、京都の天然砥石を採掘・販売する砥取家の土橋要造さんの呼びかけに応じ、新潟県の刃物鍛冶、三重県の刃物専門店、東京・大阪の料理人、木工職人などが集い「日本研ぎ文化振興協会」が設立されました。

「和食」がユネスコ無形文化遺産に登録され、日本料理に欠かせない切れ味の良い和包丁が世界的に注目される中、「それを維持する研ぎの技も重要」と、日本の研ぎ文化を世界に向け発信する意気込みです。

日本の研ぎを世界へ

2013年8月におこなった設立総会では、同時に開催した設立事業「研ぎ味、切れ味、粋な味」において同協会理事を務める「月山義高刃物店」店主の藤原将志さん、同じく理事の「研ぎ屋むらかみ」の村上浩一さんが包丁研ぎのデモンストレーションをおこない、鋼材の異なる数種類の包丁を研ぎ、それぞれの包丁で切ったトマトを集まった人々に食べ比べてもらいました。

また一流の料理人を招いて、新鮮な刺身を料理してもらい、これも食べ比べをおこないました。

普段それほど食べ物にこだわらない人からも「違う」と驚きの声があがり、研ぎに対する関心度を深めることができました。

他にもギター工房kiyondの田中清人さんによる鉋研ぎや、その鉋を使った削り体験、鰹節の削りなど、参加者は普段あまり使わない刃物を使うことで、研ぎの重要性を再確認する一日となりました。

鰹も包丁を替えて捌いていく。料理人も食材も豪華な食べ比べ。

それぞれ鋼材の違う包丁で切ったトマト。ほとんどの人が違いを感じることができる。

鋼材の違う包丁によって捌かれた刺身は、別々の皿に盛られいよいよ食べ比べとなる。

経験がないと、どのくらいすごいかわかりにくいのだが、木工家が研いだ鉋の削りを体験する。

詳細な味のデータ化

「日本研ぎ文化振興協会」では、この包丁による「味への影響」について科学的にも研究しています。これには料理人と刃物屋、研ぎ師がタッグを組んで、鋼材の違う包丁を使って切った食材が受ける味への影響などを研究している「切れ、味、研究会月の会」の協力があります。

最近の研究では、切れる包丁と切れの悪い包丁で切った、同じトマトの抽出液を味覚センサーで判定し、酸味、苦味雑味、渋味刺激、旨味、塩味、苦味、渋味、旨味コク、甘味などの各項目で数値化する試みをおこないました。

まだまだ始まったばかりの研究ですが、食べた時に感じる味の違いが、数値にも表れることがわかり、今後はより詳細なデータを収集していく予定です。

また包丁についても、さまざまな砥石で研いだ包丁の表面粒子の粗さや、刃の付き方の違いなどを専門の調査機関に依頼し、曲面微細形状測定システムなどを使ってデータ化するなど、あらゆる角度からの研究を始めています。とはいえ研究は、まだ緒に就いたばかりです。今後さらに研ぎの奥深さと食品に関わる影響など、研ぎに関するあらゆることを調査する意気込みです。

曲面微細形状測定システムを使って切刃の表面粗さを調べる（京都府中小企業技術センター）。

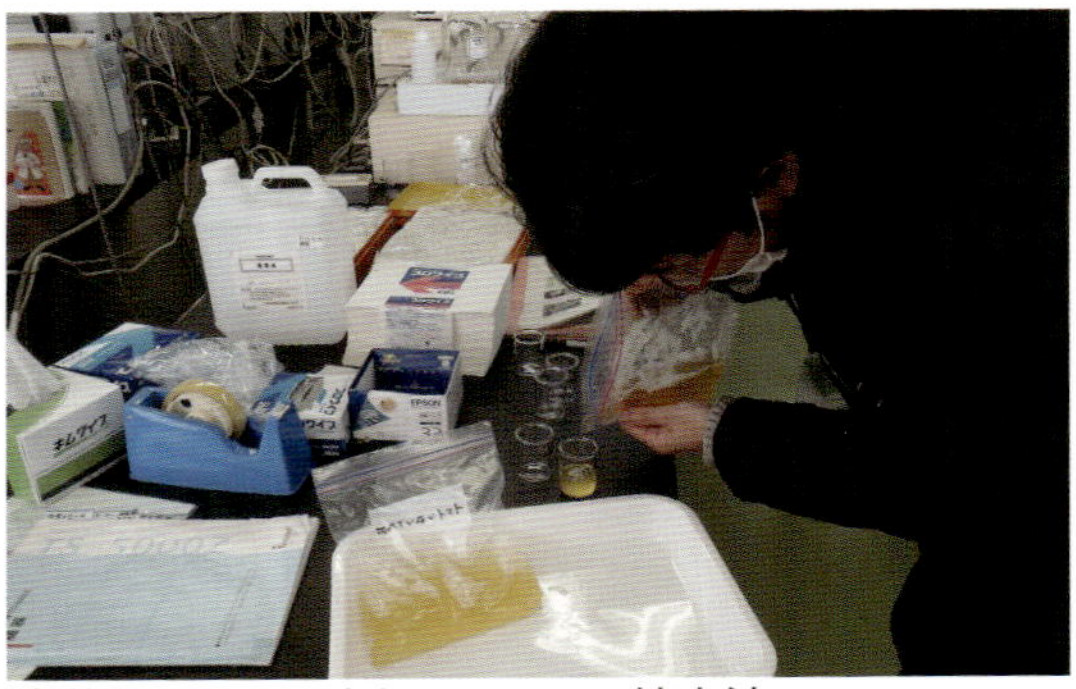
味覚センサーで測るトマトの抽出液。

ゆっくりと刃線の上を移動していくセンサー。これで刃線の凹凸も確認できる。

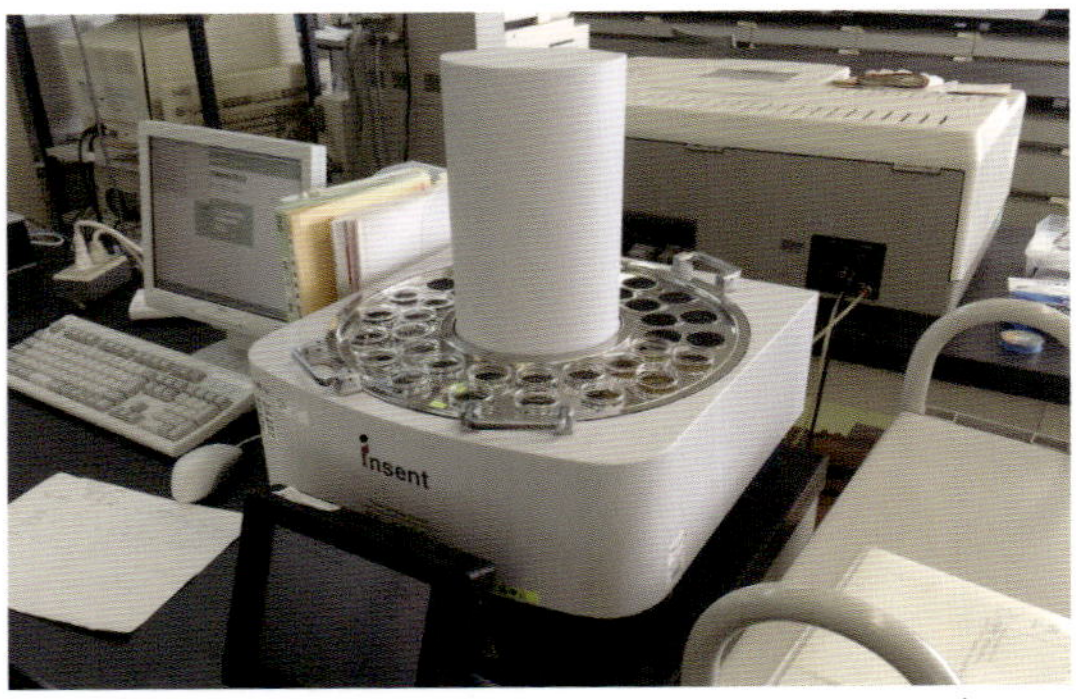

味の評価を可能にする味覚センサー。項目ごとに評価が出る。

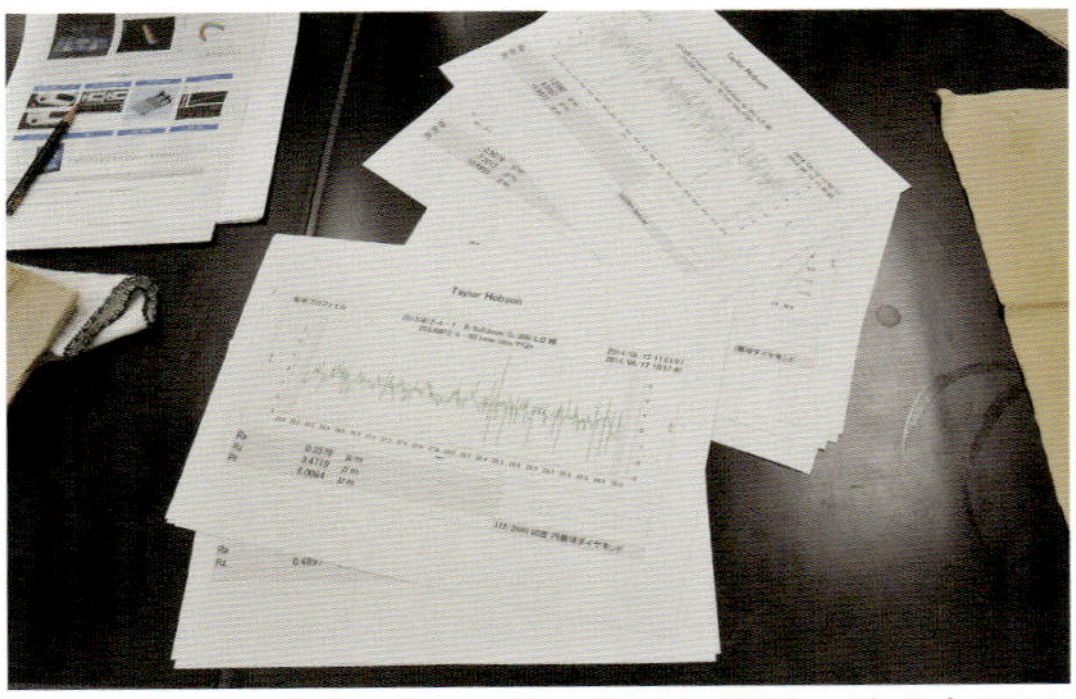
データ化された包丁の凹凸。砥石や鋼材の違う包丁のデータを積み上げることで、砥石の重要性が見えてくる。

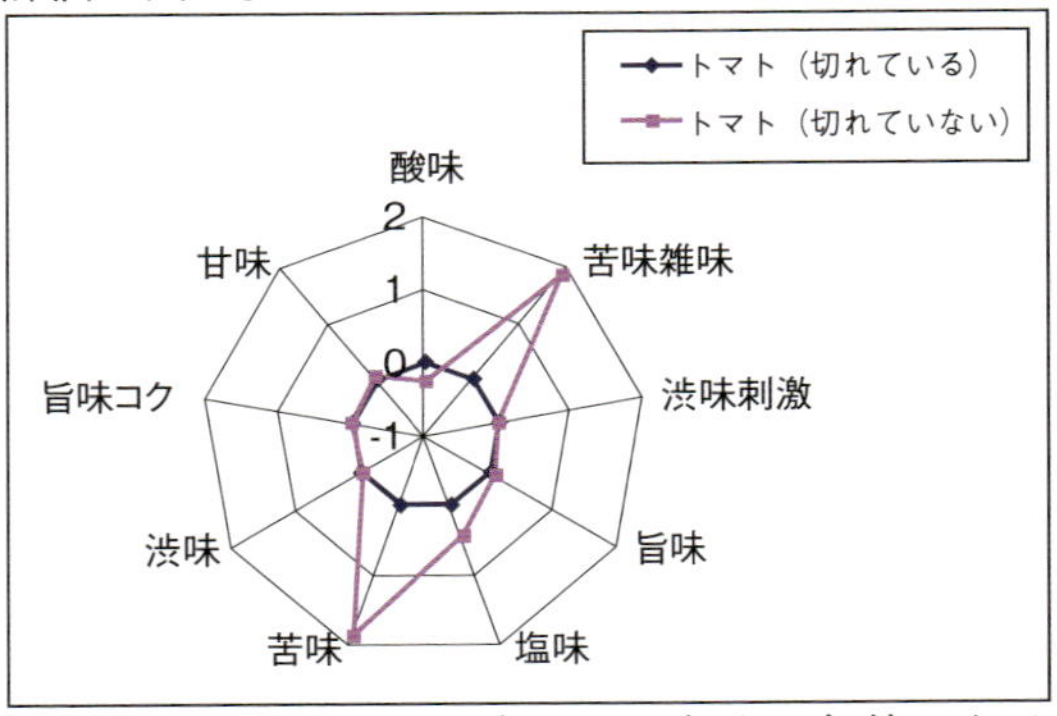

切れる包丁と切れない包丁で、全く同条件になるように切って抽出液を作り計測したデータ。

切れ味の比較にはさまざまな方法があります。丸尾山の砥石を使用しているミクロワールドサービスでは、得意の顕微鏡写真の技術を活かし、キュウリの細胞の撮影を試みました。

切れ味の重要性を知る良い資料なので、ぜひ参考にして下さい。

丸尾山砥石の『合さ』で刃付けをおこなった2本の包丁で切れ味を調べます。研いだ後、右のステンレスの包丁は刃を垂直に立てて自重だけで砥石の上を1回だけ滑らせて、切れ味をほんの少し落としました。家庭の包丁レベルでは、充分に切れ味を保っているといえる状態です。左の利器材を使用した包丁は、刃付けを最高のレベルにまで研いだ包丁です。

研ぎの大切さがキュウリから見えてきます。

形状の似た２本の三徳包丁。左は鋼をステンレスで挟んだ利器材、右はステンレス鋼の包丁。

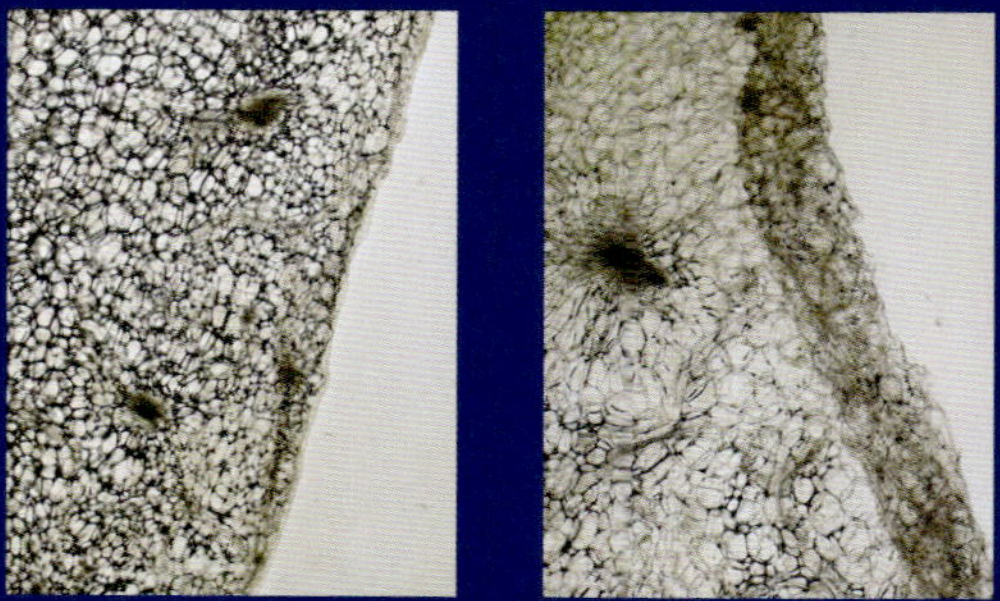

左が利器材の包丁、右がステンレス鋼で切ったもの(以下同じ)。左は細胞がしっかり形を保っているのに対して, 右側は細胞がつぶれているのがわかる。

左が利器材の包丁、右がステンレス鋼の包丁で切ったキュウリ。どちらも薄く切れている。

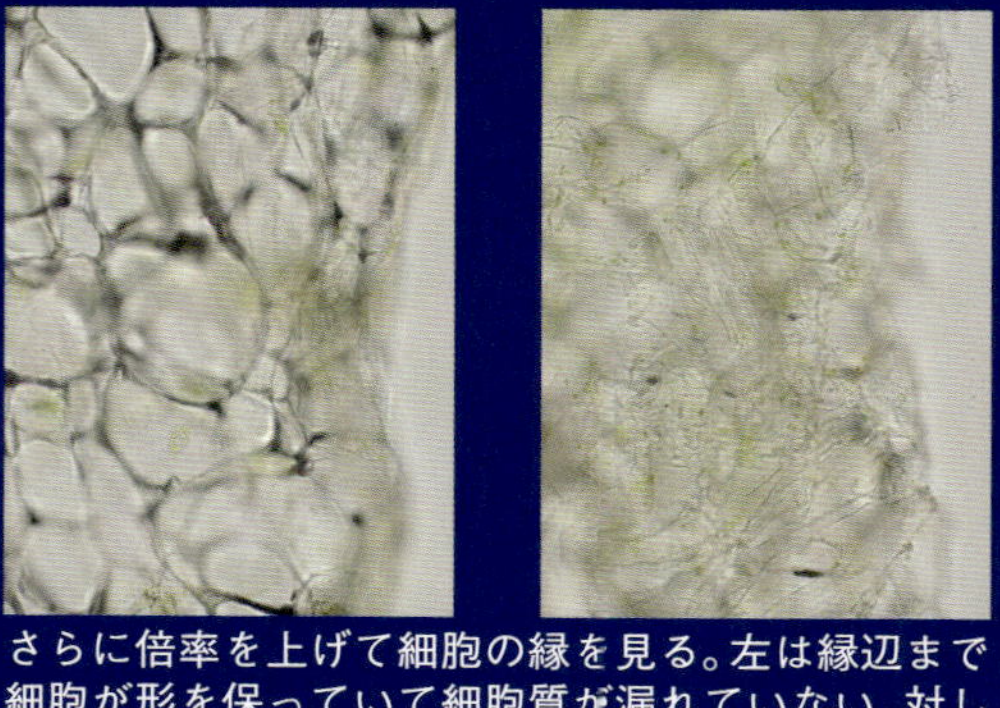

さらに倍率を上げて細胞の縁を見る。左は縁辺まで細胞が形を保っていて細胞質が漏れていない。対して右は細胞がつぶれて中身が出てしまい、細胞壁が折り重なっているのがわかる。

精製水で封じてプレパラートにしたキュウリ。向こう側が利器材、手前がステンレス鋼で切ったもの。

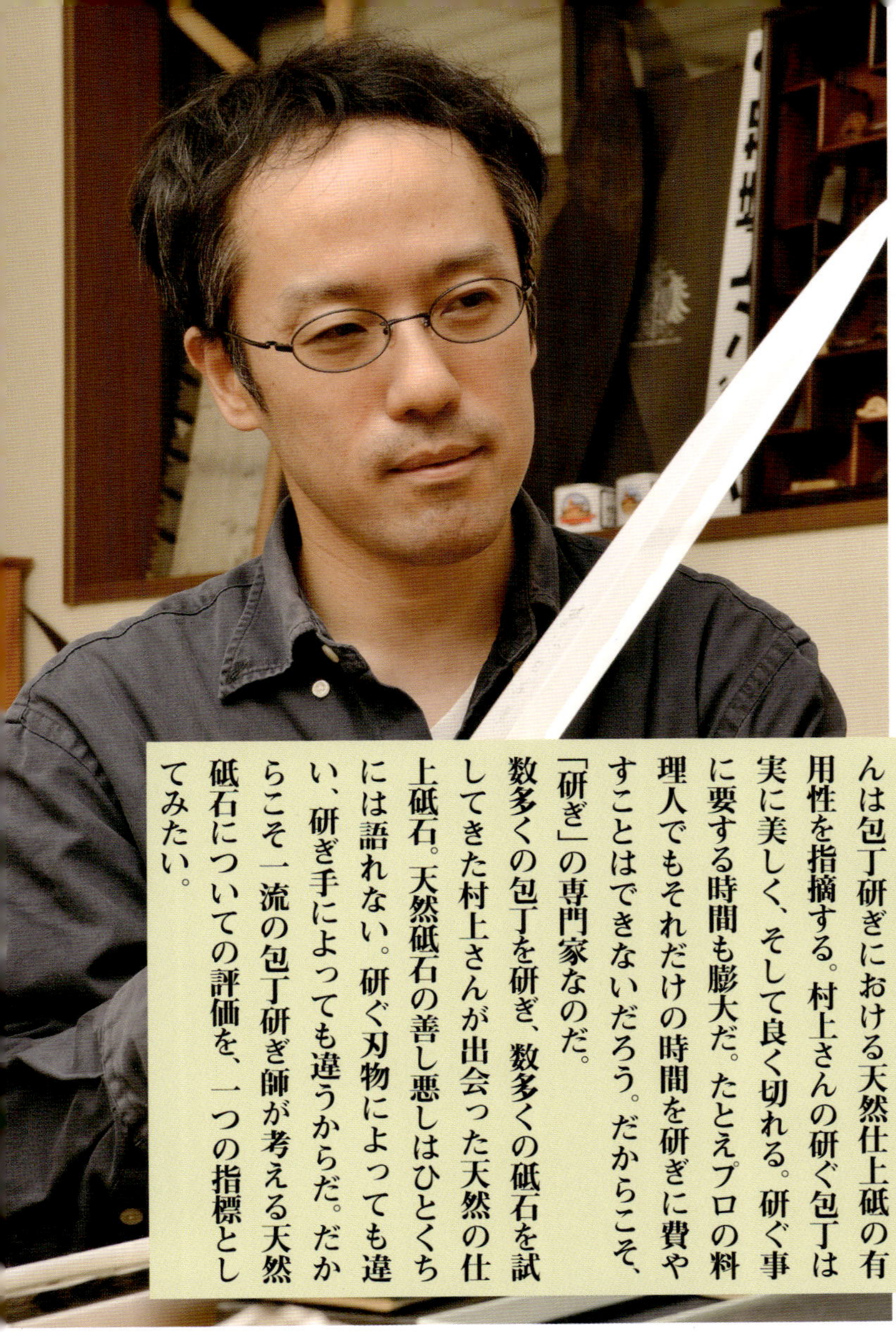

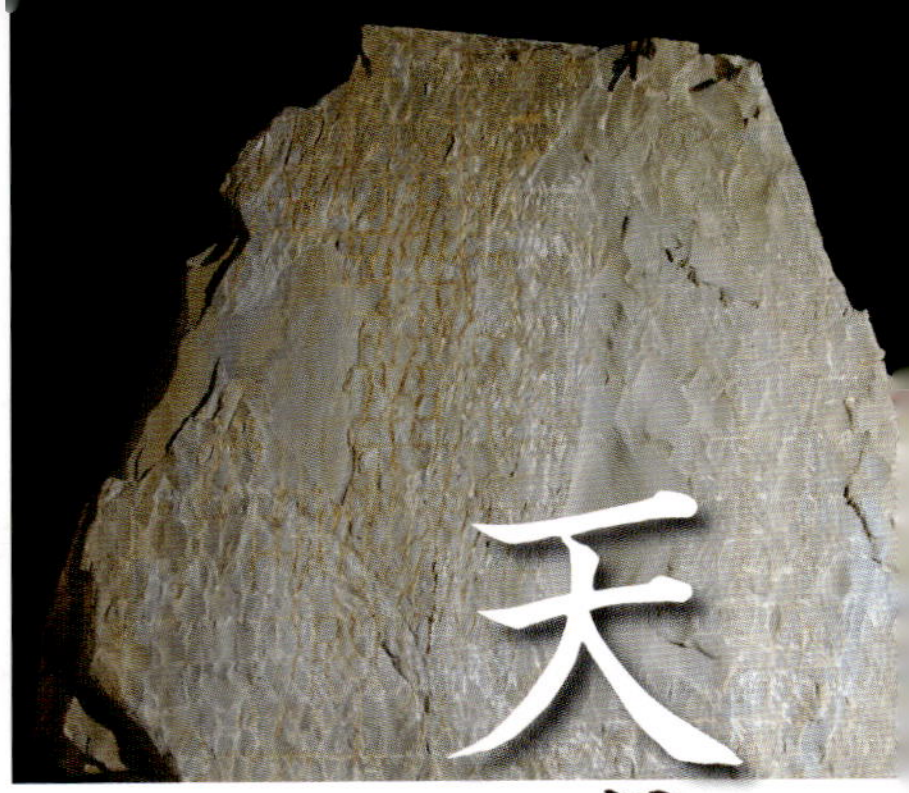

天然砥石の魅力について

京都の合砥といえば日本刀や大工道具、カミソリなどの仕上げ研ぎに使われる砥石という認識が高い。包丁に使うのは同じ京都の天然砥石でも青砥というのが一般的な考えのようだ。

しかし「研ぎ屋むらかみ」の村上浩一さんは包丁研ぎにおける天然仕上砥の有用性を指摘する。村上さんの研ぐ包丁は実に美しく、そして良く切れる。研ぐ事に要する時間も膨大だ。たとえプロの料理人でもそれだけの時間を研ぎに費やすことはできないだろう。だからこそ、「研ぎ」の専門家なのだ。

数多くの包丁を研ぎ、数多くの砥石を試してきた村上さんが出会った天然の仕上砥石。天然砥石の善し悪しはひとくちには語れない。研ぐ刃物によっても違い、研ぎ手によっても違うからだ。だからこそ一流の包丁研ぎ師が考える天然砥石についての評価を、一つの指標としてみたい。

天然仕上砥石で研ぐと言う事

研ぎをしていく中で、より良い切れ味を追求するならば仕上砥に興味を持つ人が出てくるのは当然と思われます。また、どうしても人造砥石では研ぎ肌に自然な風合いが出ず、地金と刃金のコントラストが適度で、全体が均一に光りすぎない天然砥石の風合いを求める方々も同じく存在します。

しかし、厳然と「切れ」にこだわった結果、天然を使い続けている人はどこにその価値を置いているのでしょうか。

最高の組み合わせを求めて

一つの可能性として、手持ちの道具に極めて相性が良かったことが考えられます。刃物も、完全手作りであれば勿論、そうでは無い大量生産品でも一様ではなく、仕上がりにバラツキが出ます。幅広い種類の刃物を研ぐことを前提として製作されている人造砥石は、たかだか道具側のバラツキなど意に介することなく、ほぼ均一に研ぐことが可能でしょうが、それは裏を返せば個別の刃物に、最も適する砥石をあてがうことを困難にしています。無数の組み合わせの中から最高の一つを選ぶなら、同じ性質の物が一つとして存在しない天然砥石の方がその目的に適っているのではないでしょうか。

低い研磨力を効率よく活かす

もう一つは、その人の研ぎ方が天然砥石に向いていた可能性です。

天然砥石は一般的に、研いでいると砥粒が破砕されて徐々に細かくなりやすいようです。これは研ぎ汁を溜めて研ぐのか、流し去って研ぐのかでも変わりますが、基本的に人造砥石に比べて研磨力が低いため、短時間で形を整える研ぎよりも、整えた形を時間をかけて仕上げていく研ぎに向いているといえます。

しかし研磨力が劣る分、刃先に出る返り（刃返り・バリ）が出にくい、あるいは小さくて済むメリットがあります。このことは刃に入る研ぎ傷が浅い事をも意味し、形さえ出来ていれば結果的に返りが少なく目の細かい刃先形成が、短時間で可能になります。

なぜなら大きな返りを落とす手間や、もう一段砥粒の細かい砥石を掛ける手間が省かれることになるからです。

ほかにも、仕上がった研ぎ肌や刃先の状態が、人造よりも天然の方が使用目的に向いている可能性や、一種類の仕上がりで幾通りもの使い方や複数の対象物に対応出来る汎用性の高さも考えられます。

村上さんの研いだ三徳包丁。鏡面に仕上げたもの。

付け加えるなら、錆びに強く、長切れする傾向も実感しており、それを重視する人がいてもおかしくはありません。

刃物を活かす実用性

以上のように、希少性や研いだ美観など、趣味的な要素だけで使うのではなく、あくまでも実用的な性能を重視し、その特徴を活かす知識や技術を持って使うことで実力を発揮するのが天然砥石です。

確かに人造砥石に対するような扱いをすればネガティブな印象を受けると思いますが、天然ならではの特徴を捉えて、その特性を活かせば研ぎの幅も広がり、手持ちの刃物の本来の性能を引き出す一助となり得ると思います。

人造と天然のそれぞれの利点を活かし、研ぎの効率と精度を上げ、なおかつその刃物の潜在能力を最大限に引き出せるなら、道具や資源の有効活用の面からも、作業効率の面からも理想的ではないでしょうか。

天然仕上げ砥石の使い方（相性・選び方）

天然砥石は相性が大事とよくいわれます。これはどういうことかといえば、人工的に作られた砥石と違い、個体差がかなり大きいので、研ぐ刃物の性質によっては、期待される性能を充分に発揮出来る場合とそうで無い場合があるということです。つまり刃物の構造や形状、鋼材や製法により扱いやすさや研磨力、仕上がりの綺麗さにバラツキが出やすいことを指しているのですが、これは同時に相性次第ではその刃物に対して、最高の性能を発揮出来る砥石を探し出せることを意味します。

効率の良い相性探し

では、その相性の良い砥石はどう探せばよいのでしょうか。

一般的には一つ一つ手持ちの刃物を当てて試し研ぎ…となりますが、闇雲に片っ端からというのも効率が悪いです。とりあえず、巣板の層と合砥の層を数種類ずつ選び出し、どちらが自分の刃物と研ぎ方に合うかを確認します。

その際のチェックポイントは研磨力・研ぎやすさ・仕上がり（切れ味と綺麗さ）ですが、優先順位は並びと逆です。なぜなら、仕上砥石の役目は研ぎの最後に出来るだけ、細かく鋭い刃先をムラなく整えるところにあるからです。

勿論、複数の仕上砥石を目的別に揃えたり、仕上砥石の中でも何段階にも分けたりするなら話は別で、狙いの項目を優先すればよいでしょう。しかし、研磨力を云々するなら、仕上げ前の砥石にかなう筈がありません。研ぎやすさは後述しますが対応策がありますし、研ぎ手の技量次第な所もありますので、今後の向上に期待すべきでしょう。

そもそも仕上がりが良い時点で研ぎにくさも知れている可能性が高いです。とはいうものの、出来ればポイントが一つよりは二つ、三つと及第する砥石を期待しつつ探していく事になる訳です。

まずは基準となる砥石を探す

巣板と合砥で、好みや目的に合致する方を選んだら、いよいよ各層一通り試します。

研ぎやすさや、砥石側の適応範囲の広さから巣板を例に説明します。

白巣板・卵色巣板・黄色巣板を2～3本ずつ試し、好みの物が多い層を決めたら更にそこを追求します。

数を増やして試していくと、同じ層の同じ銘柄でも硬さ・細かさ・泥の出方に違いがあり、チェックポイントの及第する項目も順番も違う事に気づくはずです。

その中で最も気に入った砥石こそが、その山の全層の中から選び出された、はずれのない砥石で、自分の基準となる砥石です。

研ぎに適した砥石選び

そこからは二通りの進み方があります。

一つは飽くまでも基準となる砥石の層の中から、わずかな性質や個性の異なる砥石を複数試し、研ぎの幅や段階分けを広げていく。これは研ぎ方や鋼材、メーカーがほぼ固定されている場合に有効な選び方です。　もう一方は、基準より細かい、または荒い砥粒の出やすい層の中から相性の良い物を見つける作業に入ります。

これは当然、基準の層よりも確率が低く、仮に幾つかの中から最善を選んでも、研ぎ方に変更や工夫を要する場合が多くなります。先程の研ぎやすさへの対応に繋がりますが、代表的なものは名倉（共名倉含む）の使用でしょう。つまり他の名倉用砥石や同系統の砥石で摺り合わせ、前もって泥を出しておく。これにより、貼り付きやつっぱり感が改善しやすく、同時に研ぐ際の圧力やスピード、ストロークも変えながら試す事により、ほぼ解消出来ます。

この段階まで来れば、さまざまな種類の刃物・鋼材・メーカーに対応出来る研ぎが可能になっていると思われますので、多種多様な刃物を研ぐ必要のある場合には有効です。

技術を向上させる砥石との付き合い

これらの方法で、自分の目指す研ぎに適した砥石群の選択とその並びから構成されるコースを作りますが、更に発展させるには、次の二種類があります。対応出来る範囲を広げるため、近い性質の砥石を追加してコースの幅を広げる方向。

または、別に狙いの違う砥石群（他の山も含め、あらゆる層の中から）を選択し、コースの数を増やす方向です。

一見、無駄や遠回りと見えないこともない作業の連続ですが、どんな刃物でも、最良の仕上がりを望むならば、砥石の方もそれぞれの刃物に適した物を合わせるのが理想です。その過程における工夫や試行錯誤自体が研ぎ手の経験・知識や技術を向上させる一助ともなる、奥深い世界が天然砥石を選ぶ醍醐味といえるでしょう。

丸尾山天然仕上砥による仕上げ研ぎ。天然にしかない幅広い砥石の個性が、大きな魅力となる。

研ぎ屋むらかみ

実家の食堂にあった砥石を使って子供時代から和包丁とステンレス包丁を研ぐ。研ぎの理解が進むとアウトドアナイフなども研ぐようになり、自分で人造砥石を揃え出す。最初はキングのデラックス＃1000から＃6000、＃8000を使用。

昔ながらの鋼の欠けやすさ、何より錆びやすさに嫌気がさし当時はステンレス主体の刃物をキング一本槍で研ぐ。粉末冶金のカウリXに惚れ込み、ムクと積層での自作ナイフを携えて関のメーカーを訪問。一時期勤務する経験を持つ。

しかし新潟の鉈鍛冶が作った完成度の高い炭素鋼刃物に出会い炭素鋼のイメージを覆され、天然仕上砥の有用性を認識する。鍛冶屋の勧めで天然砥石の採掘から製造販売まで一貫している店に通い、初めて各層・各銘柄の多様な天然砥石と出会い、自分の刃物と研ぎ方に合う種類を探し出す必要性を思い知らされる。

若狭田村山　敷戸前

若狭田村山　天上巣板

若狭田村山　合さ細《こま》カラス

若狭田村山　戸前八枚

若狭田村山の砥石

丹波帯に広がる砥石の層、その最北地で採れるのが若狭田村山砥です。江戸時代に採掘が始まり、昭和中期まで採掘されていましたが、人造砥石の普及による天然砥石の使用頻度の減少、また非常に険しい山路で採掘効率の悪さ等が原因で閉山してしまいます。

しかし近年、地元住人の熱意で再採掘が始まり、天然砥石の魅力に取り憑かれた一部の層から高い評価を受けています。

若狭田村山砥は硬口の砥石が多く、研ぎ心地は滑らかですが研磨力があり、粒子も細かいため美しく仕上がります。鏡面系の仕上がりになる砥石が多いのも特徴で、包丁、剃刀、大工道具の最終仕上げに適しています。

また若狭田村山は本口成りで、層の種類も選べるため、相性の良い砥石に出会えれば末永く付き合える可能性が高いでしょう。現在でも購入が可能な貴重な天然砥石です。

一流の料理人が使う包丁と砥石

包丁を使う頻度から考えると、料理人が一番でしょう。中でも和食の料理人は、目的に応じたたくさんの包丁を使い分けます。

東京の銀座と並び日本を代表する高級飲食店街として知られる大阪、北新地。2011年2月にオープンした「ぬのや」の店主、布谷 浩二さんは、船場吉兆をはじめ老舗鰻屋など、数々の名店で修行を重ねてきた和食一筋27年の料理人です。

オープン翌年の秋には「ミシュランガイド2013」に掲載されるほどの腕の持ち主です。

直接市場から仕入れる旬の食材を、上品な料理に仕上げていく過程には当然ながら包丁の出番もたくさんあります。用途により使い分ける包丁は32本、すべて布谷さんのこだわりの包丁です。

上：お造はその日に入荷した鮮魚で決まる。角のキリッとした刺身が美しい。
下：10名座れるカウンター。匠の技を見ながら、目と舌で料理を楽しめる。
右上：大将のもとで修行する青木慎さん（右）とサービスの坂口彩さん（中）。匠の料理を支えるプライドがうかがえる。
右下：メインで使用する包丁。上から鱧切り包丁、柳刃包丁、ふぐ引き包丁、柳刃包丁、出刃包丁、和牛刀。

研ぎにはほとんど天然の仕上砥を使用してます。毎日研ぐため、軽く研ぐだけで切れ味が戻るといいます。また新しく買った包丁は一度刃を落とし、研ぎ直して使うそうです。

天然砥石を使う理由を尋ねると、「人造にはない目の細かさと硬さ」があるとのこと。そして「包丁を研ぐときにしっくりと、天然砥石ならではの吸い付くような密着感がいい」といいます。

日本の伝統文化を守った会席料理は、手間をかけ繊細な技術で仕上げられていきますが、料理を作るための道具にもこだわりと妥協のない姿勢がうかがえます。

だからこそ高級店の建ち並ぶ北新地で、名店としての評価を得、極上の料理と寛ぎ空間を求めるお客さんに支持されているのでしょう。

上：天然の仕上砥での包丁研ぎ。毎日の仕事だ。
中：ぬのやの外観。ここから地下の店内に入ると、繁華街の喧騒が嘘のよう。
下：エントランスの坪庭には、丸尾山の天然砥石がさりげなく置かれている。

布谷浩二さん。和食一筋27年、料理に対する妥協のない姿勢で高い評価を得ている。

北新地　ぬのや
（※ 2015年に閉店。2016年に「北新地 うの和」として新規開店。現在、布谷さんの料理はこちらのお店で食べられます。）

北新地 うの和
大阪府大阪市北区堂島 1-2-21 三協ビル１階
TEL.06-6341-0320 FAX.06-6341-0333
URL.http://kitashinchi-unowa.com/

包丁研ぎの基本から究極まで

切れる包丁とは、どういう包丁を指すのだろうか。鋼材の善し悪しや鍛接鍛造の優劣など、包丁として世に出るまでの過程でも、当然差は出るだろう。

しかしすでに手元にある包丁の性質を変えることはできないので、そこから先は「研ぎ」が重要なプロセスとなる。

ただ、「切れれば良い…」という考え方もあるが、研ぐということは刃を減らすことである。であればその包丁の形を崩すこと無く最後まで使い切るには、形を崩さない研ぎが理想となる。

「日本研ぎ文化振興協会」が考える研ぎ理論とその実践について、「月山義髙刃物店」店主であり、包丁研ぎ師でもある藤原将志氏にうかがう。

指導　藤原将志

包丁研ぎの基本と理論

包丁を研ぐためには、研ぎ場や研ぎ台の準備、もちろん砥石の用意も必要です。まずは基本となる研ぎについて、必要な知識と研ぎ方を解説していきます。

さらに包丁と砥石の関係、切れる刃についての「日本研ぎ文化振興協会」としての見解を紹介します。

安定した研ぎ場をつくる。常にきれいな水を使うことが望ましい。

包丁を研ぐための準備

包丁を研ぐのに、最低限必要なものは砥石と研ぎ台、それに水です。ご家庭の台所でちょっと研ぐといった場合には、まな板の上で済ますことも多いでしょうが、相手は刃物ですので、なるべくなら安定した研ぎ台を使いましょう。

シンクに木の板を渡して台にする場合は、必ず下駄の歯状のストッパーを付け、台が落ちないようにします。また研いだとき台が反らないように厚めの板を使用しましょう。

溜め研ぎ（水を替えずに溜めたまま研ぐ）をすると、他の砥石の粒子が邪魔をして思い通りの結果が出ません。できるだけ水が流せる状態で研ぐことが大切ですが、研ぎ場に制約がある場合にはコンテナボックスを使用する方法もあります。

砥石の種類と揃え方

次に使用する砥石について説明します。

砥石はその粒子の数で粗さが変わります。人造砥石の場合には、2.5㎝×2.5㎝の中に入っている砥粒の数で番手が決まります。

粗い砥石ほど数字が小さく、

粒子が細かくなるほど数字が大きくなっていきます。

　荒砥と呼ばれる砥石は＃８０～３２０までで、主に欠けを直すときや歪みを直すときに使います。傷が深く付くため、必要以上に使うことは避けましょう。

　中砥は＃４００～２０００までの砥石で、一番使用される砥石です。

　家庭で研ぐ場合、大抵この一本の砥石で済ませてしまうことが多いようです。

　最後に使うのが仕上げ砥ですが、これは＃３０００以上のものを指します。仕上げ砥石は包丁の表面を磨き上げ、切れ味を持続させるために使用します。

　通常＃５０００くらいのものを用意しますが、仕上げ砥石はまさに包丁研ぎの仕上げに使う砥石なので、さらに粒子の細かい砥石や天然砥石を使う場合もあります。

　包丁研ぎに天然砥石を使うメリットについては122ページの「天然砥石について」で解説しますのでここでは一般的に使われる、人造砥石での揃え方を紹介します。左の写真にあるように荒砥、中砥、仕上げ砥を最低でも一本ずつ揃えたいところですが、一度に揃えるのが大変なら中砥、仕上げ砥、荒砥の順に買い足していくとよいでしょう。

　人造砥石は製造法によりいくつかの種類があり、それぞれに特長がありますので、やはり自分に合った扱いやすい砥石を見つけましょう。

面直しの重要性

　砥石を使う上でもっとも重要なのが砥石の「面直し」です。

　包丁を研ぐと砥石に黒やグレーの色が付きます。これは包丁が削れて金属の粒子が落ちるのと同時に、砥石も削られてい

研ぎ桶にコンテナボックスを使用する例。台ごと収納することができる。

荒砥　あらと君（＃ 220）と GC 砥石（細目）

中砥　ビトリファイド（キングハイパー　＃1000）とマグネシア（刃の黒幕　＃1000）

仕上砥　レジノイド（嵐山　＃6000）と WA だけで作ったビトリファイド（＃3000）

くからです。砥石は包丁を研げば研ぐほど凹んでいくことになり、凹んだ砥石で研いだ包丁は、その凹みに合わせて刃が丸くなってしまいます。

包丁を上手に研ぐコツを考え悩むより、常に砥石を平面に保つことを意識した方が包丁はきれいに研げます。砥石の硬さや研ぐ面積にもよりますが、5〜10分に一度は砥石を直すよう心がけましょう。

面直し用の砥石「ポーラス水平砥」＃220。

砥石の面直しをする方法はいくつかあります。ダイヤモンド砥石を使う方法や厚いガラス板に耐水サンドペーパーを貼る方法、また専用の面直し砥石を使う方法もあります。

研ぐための姿勢

それでは実際の研ぎについて説明します。研ぎに使う人造砥石の種類や番手は、ここで使用しているものが全てではありません。同じ人造砥石でも、メーカーにより硬さや性質がそれぞれ違いますし、製法による違いもあります。

また包丁の種類や鋼材の種類によっても、研ぎやすい砥石とそうでないものがあります。

そういった事が感覚として理解できるまでには、何度も研いで研ぎに慣れる必要がありますし、研ぐ前から自分に合った砥石を探すのも無理な話ですので、一つの基本として考えていただければよいと思います。

左の写真は少し大げさに腕を伸ばした状態で砥石に向かっている写真です。腕を突っ張ってしまうと肩を中心とした円運動になってしまうので、よい研ぎができません。

研ぐときは肘を柔らかく使い、ストロークを短く研ぐことが研ぎ角を変えずに研ぐポイントです。砥石の当たった部分を覚え

ダイヤモンド砥石（アトマ）アルミベースの本体に両面テープで貼り付けるタイプ。

悪い姿勢の例。肘を突っ張ってしまうと、肩を軸にした円運動になりやすい。

ておけば、常に平らな部分を使いながら研ぐことにもなります。

また、研ぐ前に必ず包丁の状態を確認しておきましょう。刃線の歪みや凹みを理解して研げば、目的を持った研ぎができるので効率もよくなります。

包丁自体が曲がっている場合は、研がずに刃物屋に修理を依頼することをお勧めします。包丁の見方は50ページの「包丁選びの知識」を参照して下さい。

五感を使って研ぐ

右利きの人の場合、右手に包丁を持ち、左手は包丁の研ぎたい部分に人差し指と中指、もしくは薬指も当てて押さえつけます。このとき自分が研ぎたい部分を正しく研げていればAのように砥石に砥汁が出ます。Bのように出ている場合は、自分が研ごうとしている部分と違うところを研いでいるので、いつまで研いでも思うようには仕上がりません。

このように目で見える情報のほかにも、包丁の地金の部分だけを研いでいる音、鋼の部分を研いでいる音、両方当たっているときの音に違いがありますので、実際に研ぐときに確かめてみるとよいでしょう。

上手に包丁を研ぐためには、五感を使って包丁と砥石から伝わるさまざまな情報に注意を払うことが大切です。

研ぐ目安

何を目安に研げばいいのかとよく聞かれますが、基本的には刃返りが出るまで、というのがその答えです。刃返りとは刃先が鋭利になったとき、研いでい

肘を柔らかく使い、ストロークは短めに。

研ぐ前に包丁の状態を読み解ける目を養おう。

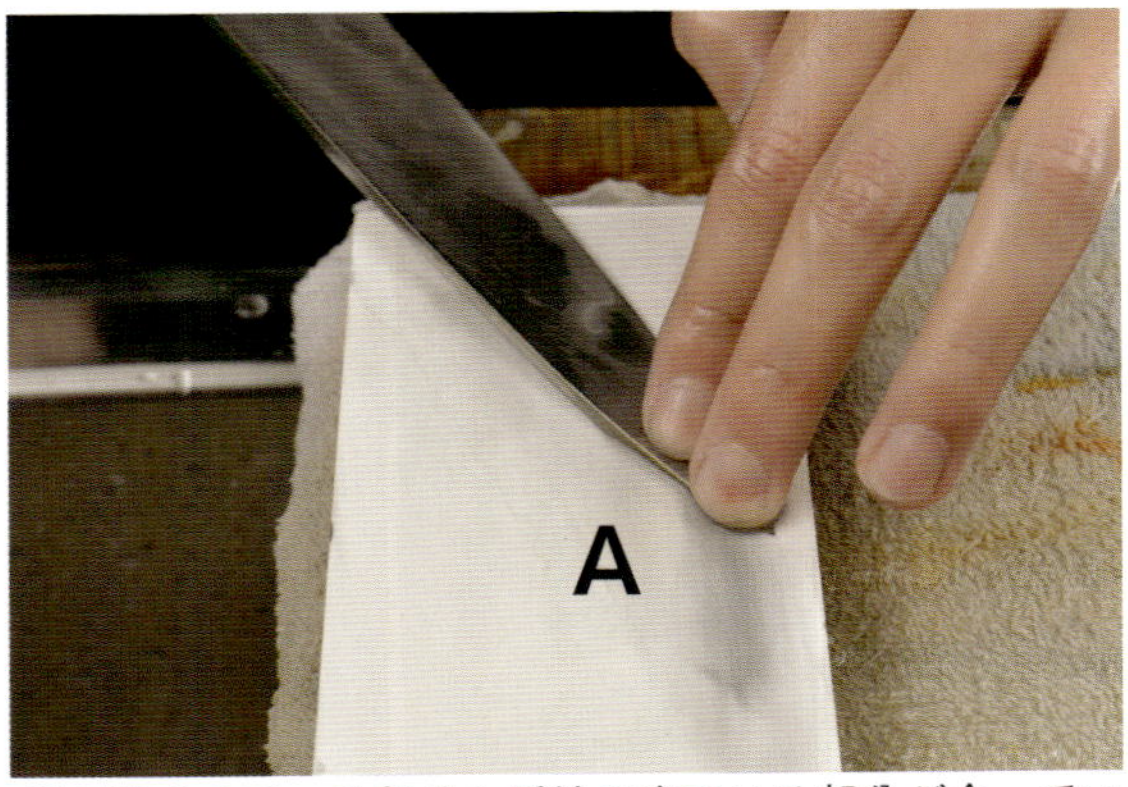

指で押さえている部分と砥汁の出ている部分が合っている例。

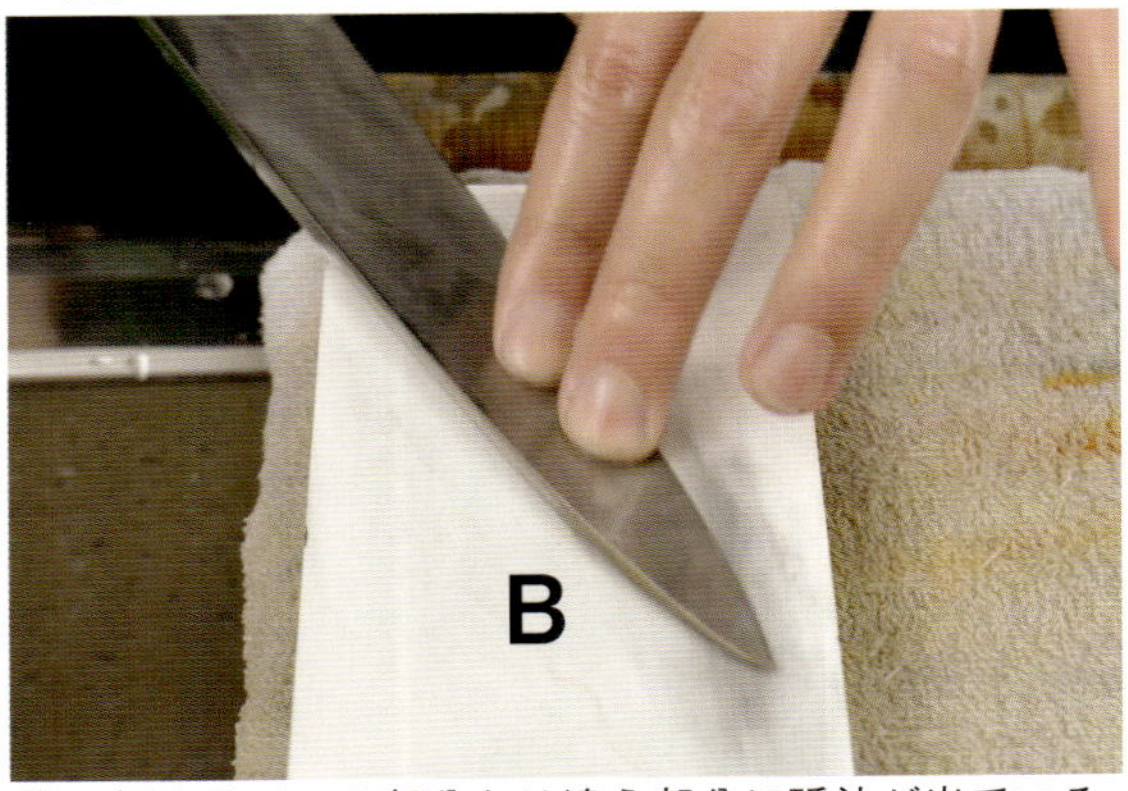

指で押さえている部分とは違う部分に砥汁が出ている。この場合は研ぎたい部分が研げていない。

る面の反対側に鋼がめくれ上がる状態を指します（写真①）。

ですから研ぎは時間でも回数でもなく、刃返りが出るまで研ぐことで初めて切れる状態にできるわけです。

ただ、そのままでは刃先にめくれ上がった鋼が引っ付いている状態なのでよく切れません。最後に新聞紙などを使って取り除き、研ぎを完成させる必要があります。

そこで気をつけなければならないのが刃返りの大きさです。非常に大きく刃返りを出しますと、その刃返りを取る際に刃先を傷めてしまい、目の大きいのこぎり状の刃になってしまうことがあります。

さらに大きい刃返りを出すことで包丁を必要以上に減らしてしまうことも考えられるため、小さい刃返りで仕上げることが包丁にとっては理想的でしょう。

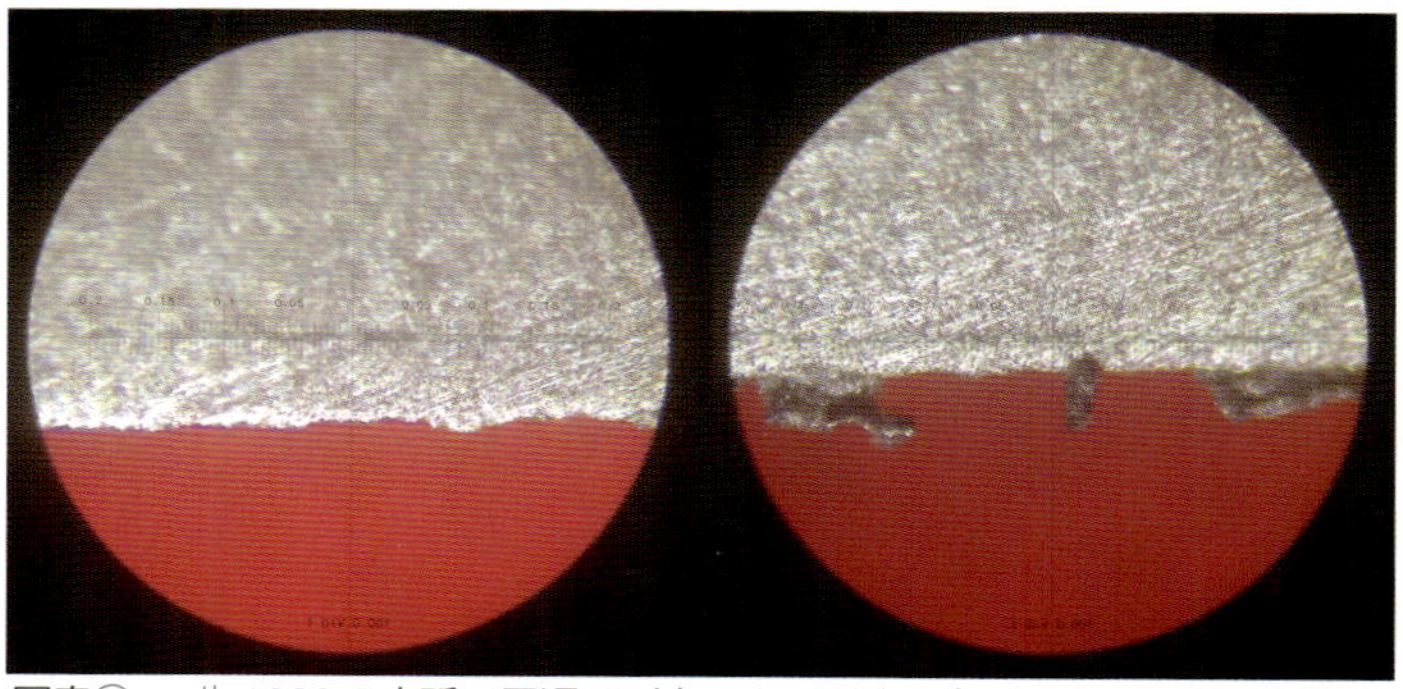
写真①．＃1000の中砥で刃返りが出るまで研ぐ。右が刃返りが出たところ。左は新聞紙でこすり、刃返りを取った刃。（顕微鏡写真はすべて300倍のルーペで見た像を撮影したもの）

切刃、小刃（段刃）、糸刃

いつまで研いだらよいのか…この疑問の次に悩むのが研ぐ角度ではないでしょうか。包丁を研ぐ角度にはさまざまな説がありますが、その前に刃の詳細な定義付けをしておきます。


昔からベタ研ぎと言われる研ぎ方がありますが、これは片刃の和包丁の切刃を砥石にベタリと付けて、そのまま刃返りが出るまで刃付けをおこなう方法です。この研ぎ方は切刃だけを研いで刃先を形成するため、砥石を平らにするという基本を守った研ぎ方をすると、非常に刃先が鋭角になってしまいます。そこで角度を付けて刃先を研ぎ、糸のように細い刃を付けます。これを糸刃といいます（図①）。

また、糸刃を研ぐことを「糸引き」といいます。

薄刃包丁のように片刃の中でも、鎬から刃先までの距離が長い包丁は刃先が特に薄くなるため、欠けのリスクが高くなります。

そこで切刃から刃先までの間にもう一段角度を付けて研いだ刃を小刃や段刃（二段刃）といい、切刃、小刃、糸刃の三段階の刃を作ることがあります（図②）。

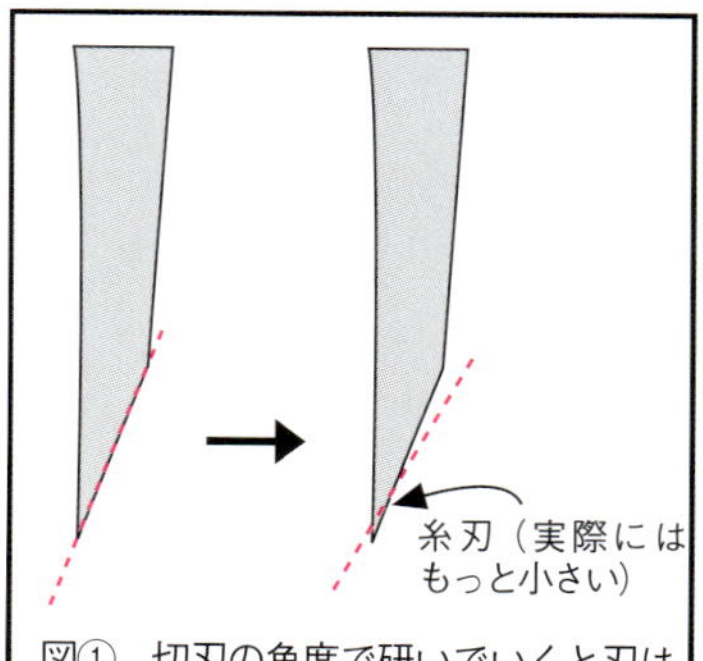

図①．切刃の角度で研いでいくと刃は鋭角過ぎるので、刃先だけ角度を付けて研ぐ。

またこの三段階の刃を滑らかに研ぐことをハマグリ刃と言い、接地面積が少なくなり、刃先にも厚みができるため欠けにくくなるメリットがあります。

その他にも段刃と糸刃だけをハマグリ刃にするケースなど、形状の仕組みがわかれば自分に合った研ぎ方を探すことができます。

洋包丁には通常切刃といわれる部分がないものが多く、いきなり刃先に糸刃より大きな小刃が付いているものが一般的です。

そのため食材への食い込みに不満がある場合、鋭角に刃先を成形し直します。その際できた刃も小刃や段刃といい、それに対して糸のように付けた刃を糸刃といいます。

生産数は比較的少ないですが切刃がある洋包丁もあり、その場合は和包丁と同じように切刃、小刃、糸刃となります。

定義として糸刃は糸のように細く角度を付けて研いだ刃を指し、段刃や小刃は切刃から糸刃までにある角度を付けた刃であり、糸刃よりも研がれた面積が大きく肉眼で明らかに角度が付いているとわかるものとします。

そのため新品の洋包丁の場合、糸刃よりも大きい面積で研がれた刃先は小刃となります。

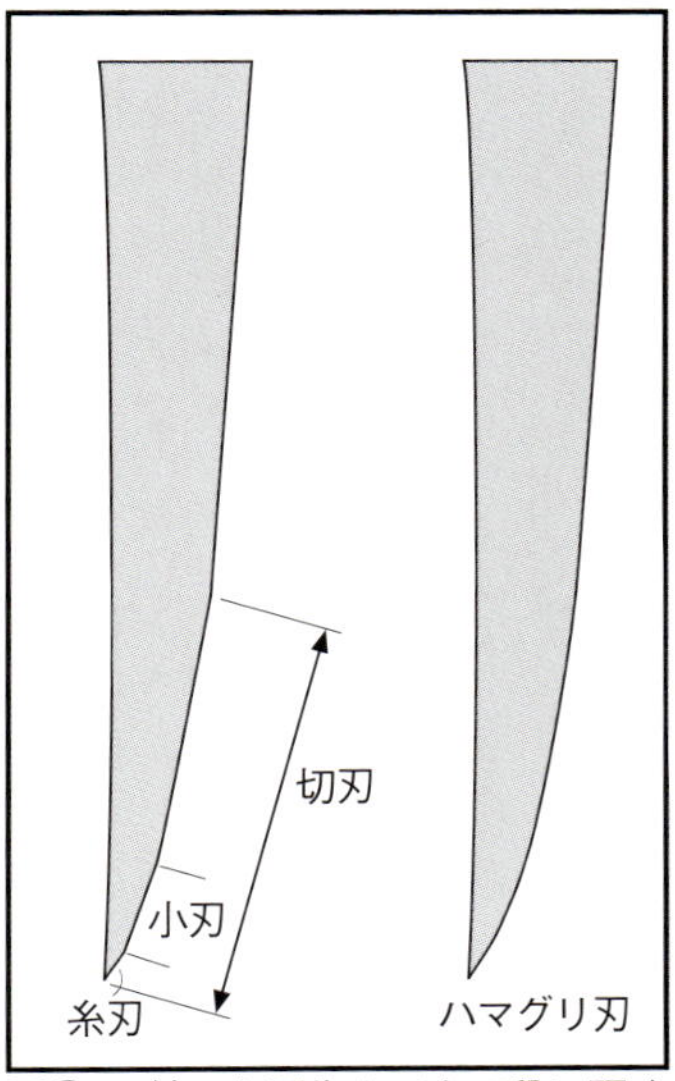

図②．鎬から刃先までを三段に研ぐこともある。イラストではわかりづらいので、段を大きくしてあるが実際にはもっと小さな段を付ける。

角度について

研ぎ角の基本の概念は、鋭角であればあるほどよく切れます。しかしその分欠けやすくなり、切れ味が長く続きません。鈍角であれば欠けには強く切れ味が続きますが、シャープな切れ味から遠ざかります。

さらに刃先だけを鈍角に研いで減らしてしまうと刃先が厚くなってしまうため、食材に食い込まなくなります。それを補うために力を入れて切るとまな板で刃先を傷めてしまいます。そう考えていくと一概に鈍角だから切れ味が長く続くとは限らないことになります。

包丁は食材への抵抗が切れ味と密接に関係する刃物です。過度に力を入れなくても食材に刃が食い込むように研ぎ、それでいて刃先のみ鈍角に研ぐことで長く切れ味が続くといえます。

そのためには包丁の食材に接地する部分を手で触って、刃先まで滑らかな状態になるように研ぐといいでしょう（図③）。

しかしこの研ぎ方は研ぎ角度を非常に鋭角に設定することになり、そのまま仕上げ砥石で研ぎ込んでいくと、異変が起こる場合があります。それは指で刃先を触ったときや新聞紙を切ったとき、非常に鋭さを感じるようになるのです。つまり糸刃がない状態です。

仕上げの効果だと勘違いしやすいのですが、肉眼では見えないレベルで刃先が欠けていることが原因の可能性があります。つまり鋼が刃先の形状を維持できないような限界を超えた角度になっているため欠けているのだと考えられ、当然非常に薄いため、このまま使用するとすぐ切れなくなったり、大きな欠けとなるリスクも高いと考えられます（写真② 次ページ参照）。

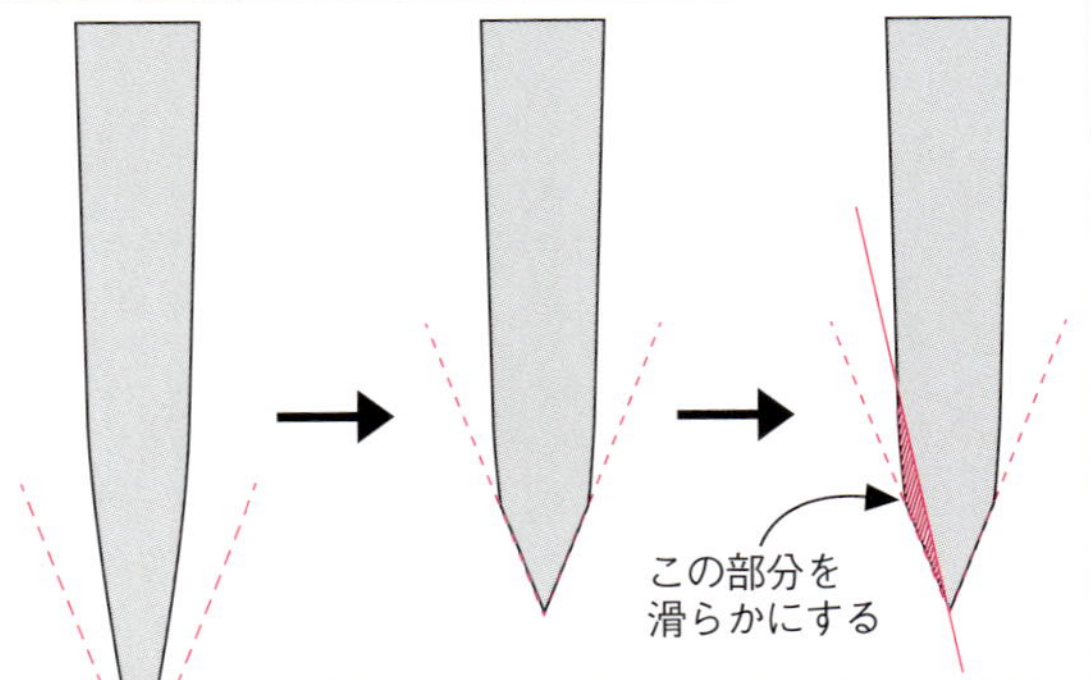

図③．刃先だけを鈍角に研いでいくと、包丁は減るに従い厚みのある刃先になる。

そうなってしまう角度は鋼材によっても大きく違いますが、刃先の角度が20度以下になるとどんどんリスクが高くなるようです。改善するには刃先のみを欠けが出ない角度にして数ストローク研ぎ糸刃を付けます。自分の感覚で角度を測りたいときは、砥石に対してまっすぐ庖丁を立てて90度、その半分が45度、その半分が22.5度となりますので角度の目安にしてみて下さい。

使って欠けが出るようであれば、その使用状況では鋭角過ぎるということです。もう少し鈍角に研ぎ直しをすれば改善が可能です。

逆により切れ味を求めたければより鋭角に研ぎ、使用して欠けが出ない角度を徐々に探して下さい。

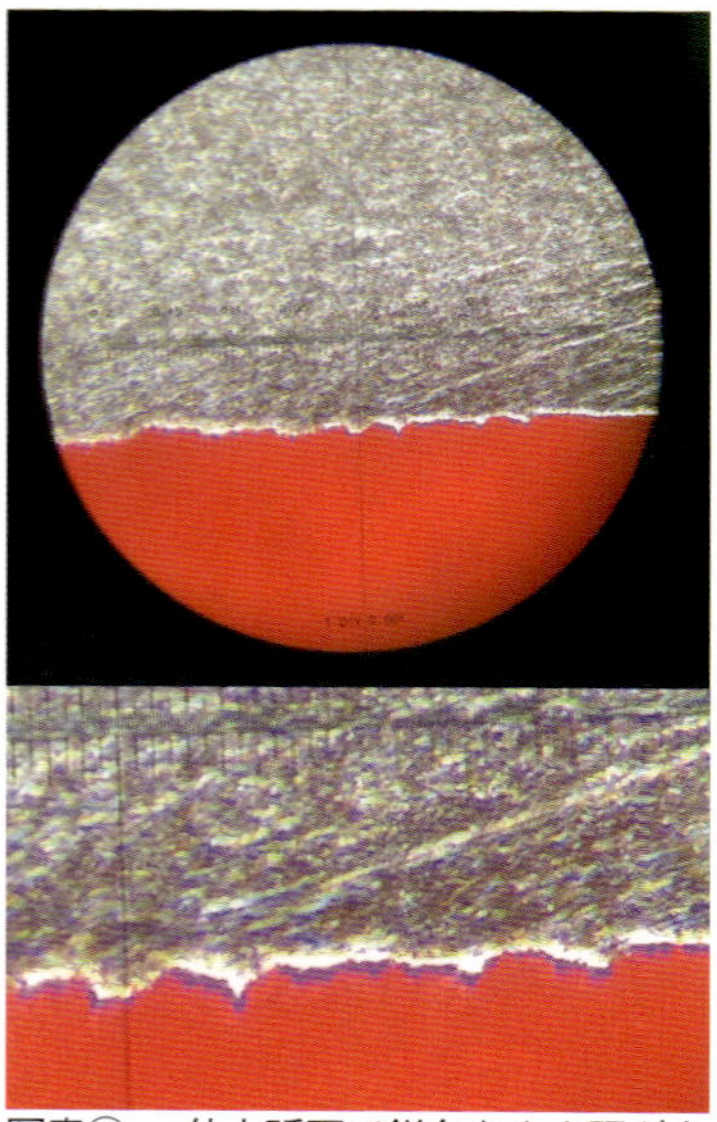

写真②．仕上砥石で鋭角なまま研ぎ上げた刃。拡大すると細かい三角形型の刃があるのがわかる。とても鋭利だが、そのぶん非常に欠けやすい。

砥石の硬さ

人造砥石はいろんなメーカーによって作られています。それぞれ製造方法が異なり、硬さも様々です。そのため研ぎの仕上がりにも違いがでます。

写真③は同じ番手の硬い砥石と軟らかい砥石で同じ時間、力を抜いた状態で包丁を研ぎ、刃返りを取った刃を300倍の顕微鏡で見た写真です。軟らかい砥石は非常に傷が浅いですが、刃先が少し荒れています。逆に硬い砥石は傷が深くなりますが、刃線が比較的真っ直ぐになります。また、軟らかい砥石は凹みが早いため刃が丸くなりやすく、硬い砥石は凹みにくいため精密な研ぎができます。

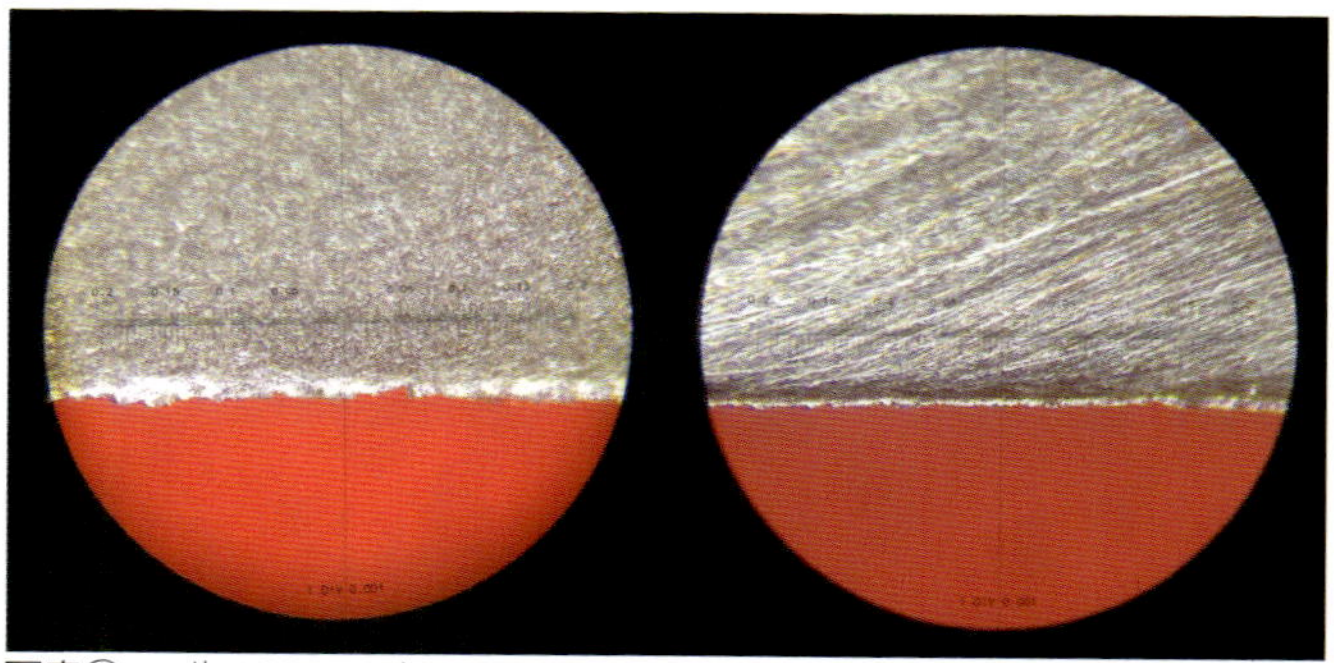

写真③．＃1000のビトリファイドで研いだ刃先。右が硬い砥石で、左は軟らかい砥石で研いだ写真。傷の深さと刃先の直線性が大きく違う。鋼材は白紙２号。

もちろん砥石を面直しする面直し砥石の粗さが硬さと仕上がりにも影響するので、すべてが写真のようになるわけではありませんが、削りが早く傷が浅い砥石は軟らかい砥石、形を作る（整える）砥石は硬い砥石を選んだ方がよさそうです。

天然砥石について

砥石の硬さによっても仕上がりが変わる可能性を示しましたが、それは天然砥石でも人造砥石でも同じことが考えられます。しかし人造の仕上砥石の場合、粒子が細かい物になればなるほど、中砥ほどの硬さや研磨材の違う砥石を選べなくなってしまうと感じています。

天然砥石を使う理由に種類の豊富さがあり、粗さはもちろん剃刀砥のように非常に硬いものから非常に柔らかいものまで選べるのが良い点ではないでしょうか。

　切れ味は刃線の形状によって左右されると考えられます。刃先がのこぎり状になっていると、食材を引っ掛くような切れ味にはなりますが、その引っ掛かる力は食材の細胞を傷つけていると予想されます。のこぎり状が見えないくらいに真っ直ぐな刃先が、左右のブレもなく、高さも揃っている状態になることで、食材の細胞を傷つけず、さらに食材に対し滑らかに入り、まな板に刃が当たったときの刃側の影響も少なくなると考えられるため、欠けにくく、長く切れ味が続くと感じています。

　この刃を作るには人造の仕上砥石でも可能ですが、硬さの選択肢が少ないため限られた砥石を使わざるを得ず、技術的な擦り合わせで仕上げることが多くなるので、仕事効率が悪くなってしまうことが考えられます。

　写真④は、鋼の包丁とステンレスの包丁を、それぞれ天然仕上砥と#8000の人造仕上砥で研いだものです。#8000の人造砥石の粒子では傷が深く残っているのがわかります。そのため水分が残りやすく、空気に触れる面積も広くなるので、天然で研いだ包丁より錆の発生が早いと考えられます。一方、天然の仕上砥は相性さえあえば短時間でその傷を消してくれます。

　また天然砥石でステンレスの包丁を研ぐと砂地状になるのに対し、人造の仕上砥石で研ぐと非常に艶やかに光り、同じ刃物とは思えない違いになります。

　砥石になるまでの経緯や研磨する成分などが違う以上、天然砥石と人造砥石では仕上がりが同じではないのは当然なのかもしれません。

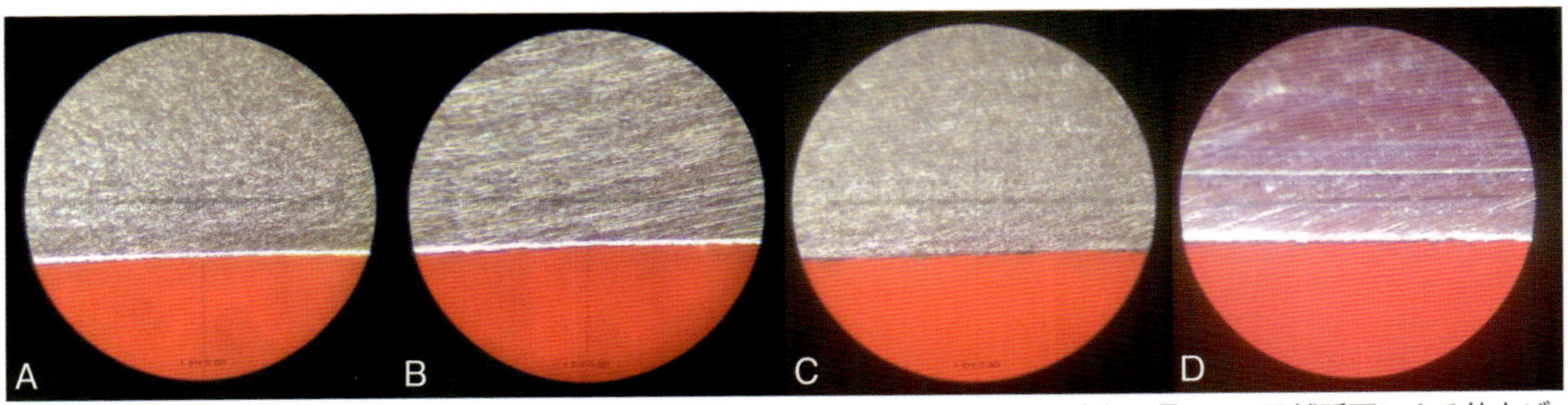

写真④．Ａは天然砥石による仕上げ、Ｂは人造砥石による仕上げ。鋼材はＡ､Ｂとも白紙２号。Ｃは天然砥石による仕上げ、Ｄは人造砥石で仕上げ。鋼材はＣ､Ｄともステンレス。人造砥石は＃8000を使用。
天然で仕上げた包丁Ａ､Ｃは傷が浅く、人造砥石で仕上げたＢ､Ｄは深い傷が残っているのがわかる。また人造砥石で仕上げたステンレスの包丁､Ｄは非常に強い艶が出ている。

相性のよい砥石を揃える

　包丁は最大限の性能を引き出す研ぎをすることが難しい刃物かもしれません。切る対象物の種類が非常に多く、それに合わせて形が違う包丁があり、さらに使われている鋼材の種類も刃物の中で一番多いと思われます。また生産方法も様々です。生産性の高い工業製品から、手作りで一本一本作られたものまで多種多様にあります。

　砥石に関しても天然砥石はもちろんですが人造砥石も各メーカーそれぞれの特徴があるため、研ぐ包丁の種類が変われば当然砥石の相性も変わります。包丁研ぎをする上で同じ条件のものがない以上、自分の持っている包丁に合った砥石を揃えることが効率よく、満足のいく研ぎをすることに繋がるのではないでしょうか。

両刃包丁の基本研ぎ

三徳包丁を研ぐ

家庭において、一番使われる包丁が三徳包丁でしょう。牛刀を使用する家庭もあるかも知れませんが、いずれにせよ両刃の洋包丁です。
まずは両刃包丁の基本となる研ぎの工程と、研ぎのポイントとなるテクニックを紹介します。

包丁の状態を知る

一般的に使用される洋包丁は、両刃であり、和包丁のように切刃がなく、いきなり小刃が付いています。

この小刃だけを研いでいると、次第に小刃の面積が大きくなり、刃の厚み分、切るときに食い込みの重さを感じるようになります。ニンジンなどの根菜類を切るとき、あるいは固く巻いたキャベツなど、弾力のある野菜を切るときに、この重さを感じたことはないでしょうか。

市販品の三徳包丁はそのままでも切れることは切れますが、しっかりと研いだ包丁と比べると、程度の差こそありますが、やはり食い込み時の重さは感じます。

今回は新品の包丁を研いでいますが、使い込んで小刃が大き

新品の三徳包丁。買ってきたままで使っている人も少なくない。

新品の三徳包丁。300倍のルーペで見た画像。回転砥石で研いだ垂直な研ぎ跡が明瞭にわかる。製造段階での最終研ぎはメーカー、鍛冶屋によって違いはあるが、細かい粒子を揃えるところまでは研いでいないことがわかる。

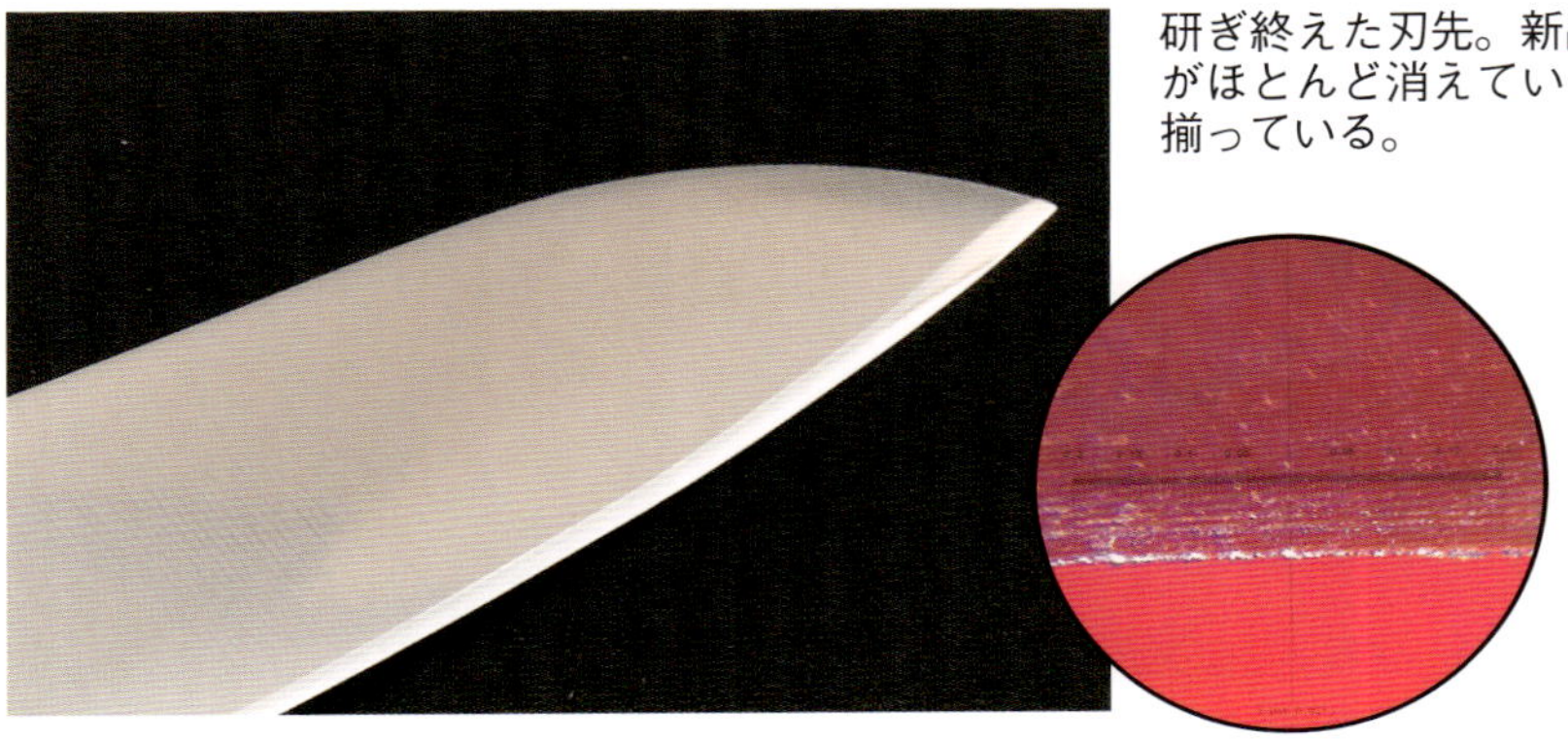

研ぎ終えた刃先。新品と比べ研いだときの傷がほとんど消えている。また刃線もきれいに揃っている。

くなってしまった包丁でも同じ研ぎ方で切れ味を蘇らせることができる研ぎ方を紹介します。

厚みを減らす研ぎ方

右の図のように、同じ角度で小刃を研いでいくと、次第に小刃の面積が広くなってきます。刃の角度自体は同じなのですが、急激に厚みが増すようになるので切り込むと重さを感じるようになります。

そこで、Bの斜線部を削り落とすことで、包丁の厚みを取り、切るときの抵抗を少なくします。

このままだと刃が鋭角に付きすぎ、先端からポロポロと欠けてしまうので糸引きを入れます。もしくは包丁の肉厚を落として、小刃を作り直すと考えることもできます。

新品の包丁は、この小刃研ぎだけでも良いのですが、研げば必ず小刃は大きくなっていきますので、最初からこの方法で研いでもよいでしょう。

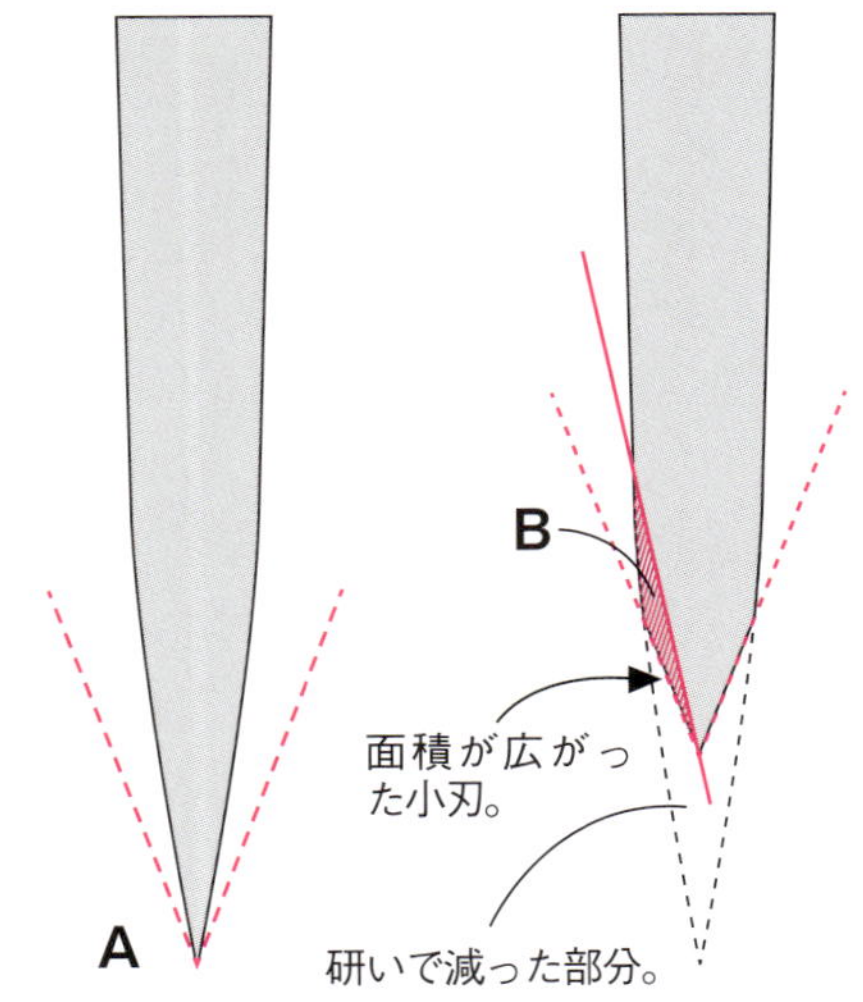

Aの小刃を研いでいくと、次第に小刃の面積が大きくなり、包丁の厚みによる抵抗が大きくなる。Bの斜線部を鋭角に研ぐことで、包丁の厚みを取る。

1 ♯400の荒砥で研ぎ始める。刃の厚みを落とすため、最初はかなり鋭角に研いでいる。

2 表を研いだところ。新品の包丁と比べ小刃の幅が広くなっているのがわかる。

3 表の研ぎを終えたら、裏も同様に研ぐ。砥石の平面は常に保つよう心がける。

ポイント1

包丁は刃返りが出るまで研ぎます。ゴシゴシと力強くこするのではなく、力を抜いて角度を変えないように心がけます。

徐々に傷を浅くしていく

まずはじめに♯400の荒砥で包丁の厚みを落としていきます。

砥石を使うときは必ず平面にしてから使います。

表から研いだら、次は裏を研ぎます。包丁を左手に持ち替えて、同じように研ぐ方法と、右手に持ったまま研ぐ方法があります。どちらでも良いのですが、右手に持った場合は鍔《つば》が砥石にぶつかりアゴの部分が研げないので、包丁が砥石と直角になるような研ぎ方をします。

♯400で厚みを落とした部分を、今度は♯1000の中砥で研ぎます。切刃のある包丁のように、面で固定する面積がほとんどないので、研ぎ角を一定にするのが困難です。

ここでは♯400→♯1000に砥石の番手を上げましたが、間に♯600を入れて、徐々に傷の深さを減らしても良いでしょう。

包丁の状態を知る

125ページの図でもわかるように、包丁の厚みを落とす研ぎは、刃を鋭角に研ぐことになります。このままだと刃先が薄すぎ、どんどん欠けてしまうので、ここから糸引きを入れます。128ページの写真9のように、包丁の角度を変えて研ぎますが、研ぐ回数は2~3回程度で充分です。あまり研ぎすぎると、小刃と同じように面積が大きくなってしまいます。

最後は新聞紙で刃返りを取り、それでまくれ上がった僅かな刃返りを、仕上砥石で落としたら終了です。

切れ味に不満があったら、包丁の持ち方や研ぎ角を再度確認してみましょう。

4　#1000 の中砥で研ぐ。中砥にもたくさんの種類があるが、ここでは軟らかめの砥石を使用している。

5　裏の研ぎ方①。包丁を左手に持ち替え、表と対称になるように研ぐ。

6　裏の研ぎ方②。包丁を持ち替えない場合、柄が砥石に当たらないよう、砥石と直角になるように研ぐ。

ポイント 2

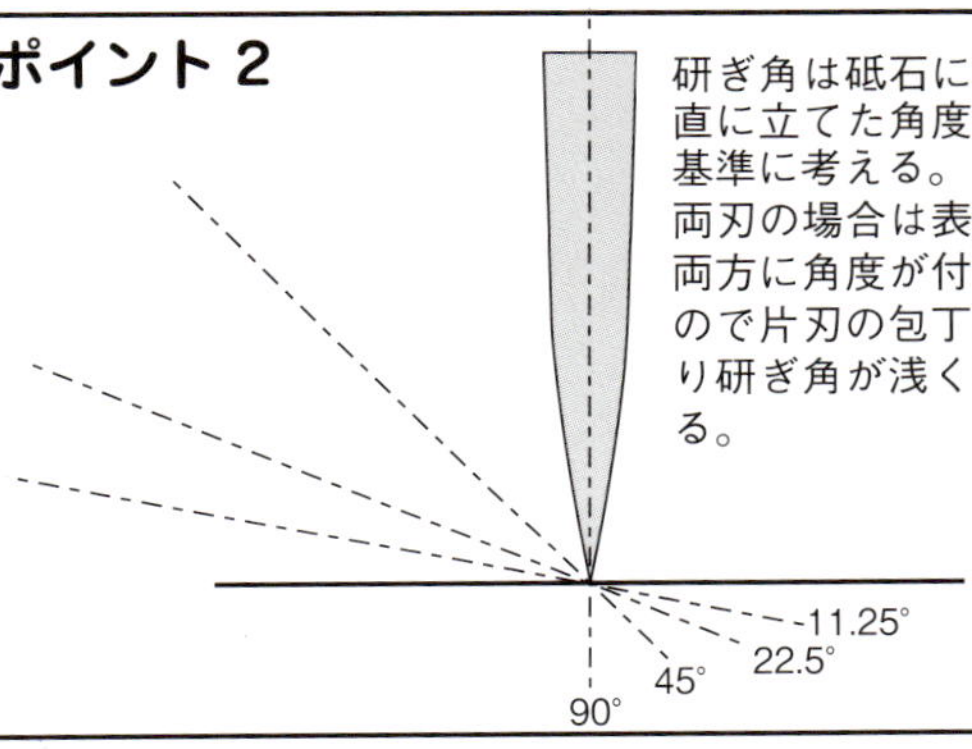

研ぎ角は砥石に垂直に立てた角度を基準に考える。両刃の場合は表裏両方に角度が付くので片刃の包丁より研ぎ角が浅くなる。

砥石の平面を保つポイント

包丁研ぎのポイントとなる砥石の平面出し。簡単そうですが、実は平面が出ていないから、思うように研げていないことがよくあります。砥石を平面に保つためには、こんな方法も役立ちます。

① 砥石の表面に鉛筆で、縦横斜めの線を引く。

② 水平くんやダイヤモンド砥石を摺り合わせる。

③ 鉛筆の線が残っている部分が凹んでいるところ。

④ 平面がしっかりと出た砥石は、他の砥石の平面出しに使える。

7　仕上砥石は＃8000 を使用。ここでは市販品として、購入しやすい人造の仕上砥を使用した。

8　刃の厚みを取るために研いできた研ぎ角。かなり鋭角なのがわかる。

9　最後はほんの少し刃を立て、糸引きを入れる。これはほんの数回のストロークで終了する。

10　新聞紙にこすり、刃返りを取る。この後、仕上砥で裏から数回刃返りを取るために研ぐ。

研ぎ終えた三徳包丁。ほとんど力を入れることなく、切れるのが理想的だ。

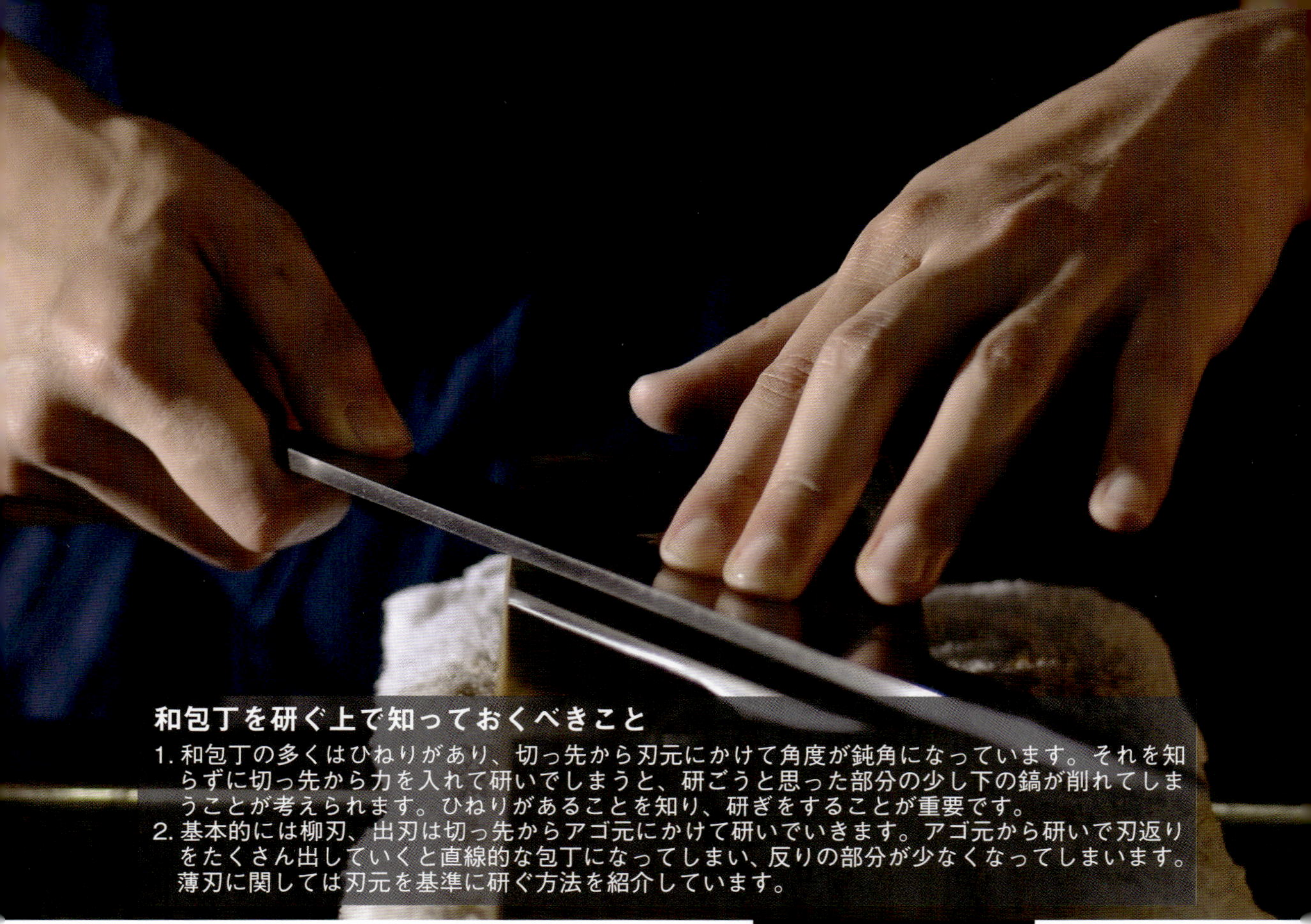

和包丁を研ぐ上で知っておくべきこと

1. 和包丁の多くはひねりがあり、切っ先から刃元にかけて角度が鈍角になっています。それを知らずに切っ先から力を入れて研いでしまうと、研ごうと思った部分の少し下の鎬が削れてしまうことが考えられます。ひねりがあることを知り、研ぎをすることが重要です。
2. 基本的には柳刃、出刃は切っ先からアゴ元にかけて研いでいきます。アゴ元から研いで刃返りをたくさん出していくと直線的な包丁になってしまい、反りの部分が少なくなってしまいます。薄刃に関しては刃元を基準に研ぐ方法を紹介しています。

究極の切れ味を求めて

柳刃包丁を研ぐ

荒砥→中砥→仕上げ砥…これが包丁研ぎの基本手順だが、さらに細かく砥石を使い分けることで、包丁の粒子をより細かく整える…月山義高刃物店店主、藤原将志氏が考える月山義高流の柳刃研ぎを紹介する。

研ぎ師としてのこだわり

はじめにお断りしておくと、ここで紹介する柳刃包丁の研ぎ方は、最初に紹介した三徳包丁の研ぎ方と比べるとかなり時間と手間のかかる研ぎ方です。

また使用している砥石も、ご家庭で揃えるというレベルの数ではありません。

刃物店の店主であり、包丁研ぎ師としても数多くの包丁を研いできた藤原将志さん。

ただ販売するだけではなく、プロの料理人からの様々な要望に応えていくための研ぎを研究し、実践しています。ここで使った砥石も天然砥石6本、人造砥石8本という凄まじさです。

料理人は、もちろん自分で使う刃物を研ぎます。しかし研ぐことが仕事ではないので、研ぎに費やせる時間も限られますし、研いでいるうちに形が崩れてしまうこともあります。

実際に人気の高い割烹店など、料理人が忙しい店では包丁をじっくり研いでいる時間がないので、本格的に研ぐときは研ぎ

1 ここで使用した人造砥石。♯ 320 ～♯ 3000 までを使い分ける。

2 表研ぎ用の天然砥石。手前から敷内曇、白巣板、蓮華巣板、白巣板の黒蓮華。

3 裏研ぎ用の天然砥石。手前から中山砥石の戸前。糸引きにも使う。千枚、蓮華巣板。蓮華巣板は表と同じもの。

4 まずは砥石の平面を整えるところから。♯ 220 の面直し砥石を使った砥石の面直しからスタートします。

5 こちらはダイヤモンド砥石の♯ 400 を使用した面直し。♯ 1500 以上の中砥と天然砥石はこれで直す。

6 最初に♯ 3000 のビトリファイド製法の砥石で裏押しをする。凹んでいる中心部を除き、周囲が全部当たるようにする。砥石に当たらない場合は「こね木」で歪みを取る。ビトリファイドは砥石についた傷が消えにくく、当たっている場所がわかりやすい。アゴと中央付近が当たっているのがわかる。この作業は新しい包丁を購入したときや、裏の周囲が当たっていないときにおこなうが、1 度裏ができたら、表から研げばよい。

師に任せる店もあります。藤原さんの店にも全国から研ぎの依頼が来ますので、それらの包丁を研ぐことを考えれば、一般家庭の数倍の砥石があってもおかしくないかも知れませんが…。

とは言え一本の包丁にこれだけの砥石を使うには、藤原さん流の研ぎに対するこだわりがあるからです。

7 包丁の周囲が全て砥石に当たっている、「糸ウラ」と呼ばれる状態。

8 次に切刃をダイヤモンド砥石で研ぎます。切っ先からアゴにかけて研いでいく。

9 縦研ぎで研いだためアゴの部分が当たらない。この場合は 45° で研いでひねりに合わせて研ぐ。

10 砥石に対して縦に研ぐ方法。こうすると切刃の部分を安定させて研ぐことができる。

軟質、硬質を使い分ける

一般的な研ぎ方では、荒砥→中砥→仕上げ砥と、研ぎ進んでいくのが普通です。藤原さんの研ぎ方もその点は変わりませんが、砥石の粒子の粗い、細かいという番手とは別に、砥石の硬い、軟らかいという要素を取り入れてます。

表の研ぎは切刃の凸凹をなくすことから始めます。＃400のダイヤモンド砥石を使い、切刃をフラットに研いでいくことで、刃線の歪みも落としていきます。新しい柳刃を研いでみるとわかりますが、アゴの部分が当たらないことがあります（写真9）。これは刃元部分が多く削れている場合やひねりに対して縦研ぎをすることで起きやすいのですが、縦研ぎで当たらない部分は45°の角度で研ぐことで対応ができます。多く削れている場合は無理に直さず、使いながら調整する方がお勧めです。

縦研ぎは手のブレを緩和できるため面を作るなどの正確な研ぎがしやすく、45°の角度での研ぎはひねりに合わせた研ぎをするときに有効です。

次に＃320の荒砥を使いダイヤモンド砥石で研いだ際にできた傷を小さくしていきます。

このとき硬い砥石は使わず、研磨力があり、ひねりに合わせた研ぎが出来る硬さのものを選びます。そして次は硬質の砥石、その次は軟質の砥石と、人造砥石でも天然砥石でも砥石を交互に使い仕上げていきます。

人造砥石の使い分け

ここで使用しているダイヤモンド砥石は、研いだ傷が光り、#320の荒砥では曇ります。また#600は硬くて光るので確実に前の研ぎ目を消し、ひねり

11 次に＃320の荒砥で、同じく切刃を研ぐ。ダイヤモンド砥石で付いた深い傷を少しずつ減らしていく。

12 荒砥で研いだ切刃。まだまだ表面が荒れている。

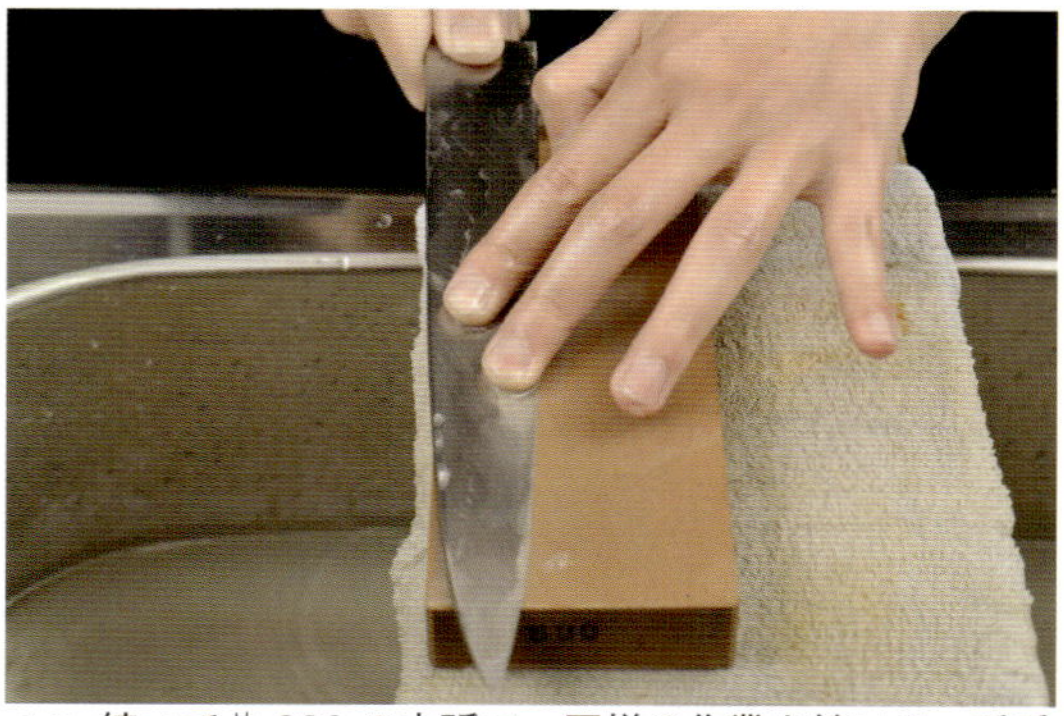

13 続いて＃600の中砥で、同様の作業を続ける。番手をいきなり上げず、少しずつ傷を浅くしていく。

14 ＃600の中砥での研磨を終えたところ。写真12と比べるとかなり傷が減っているのがわかる。

15 #1000の中砥石へと移る。粗めの面直し砥石で擦り、#600の傷を消しやすくする。

16 白っぽい線が2本見える。これはひねりが見えている状態。硬い砥石を使うことで確認できる。

などを壊さず研ぐことができるようにしています。その繰り返しで＃１０００の光る砥石と曇る砥石を研ぎ分け、また必要に応じて砥石の表面粗さを操作して必要な砥石を作り、仕上げています。

工程を写真で辿ると、砥石が変わっているだけで、作業内容が変わらない写真が続いてしまいますが、目的を明確にするため、あえて掲載します。

研ぎ始めは裏から、効率よく研ぐために砥石に対して縦に研ぎます。ここで注目したいのはビトリファイドの人造砥石を使う点。レジノイドやマグネシアの砥石は、研ぐ性能としては遜色ありませんが、研ぎ跡が残りづらい傾向にあります。

研ぎ跡がはっきり見えるということは、包丁の当たっている部分がわかりやすいということで、包丁研ぎに慣れていない人にはお勧めです。特に裏押しを

17 同じ #1000 だが、ダイヤモンド砥石で面直しをしたこの砥石は柔らかいため傷が浅くなる。

18 天然砥石のスタートは蓮華巣板。裏押しはすべて硬めの砥石を使う。

19 次に千枚。蓮華巣板より粒子が細かい。

20 裏押しは研ぐ面が少ないため傷を消すのが早い。

するときには周囲全てが当たる必要があるので、ビトリファイドを使うメリットが、はっきりとわかります。

3種類の＃1000

研ぎ方の特徴がわかりやすいのが＃1000を3本使う点です。122ページの「砥石の硬さ」でも示したように同じ番手の砥石を硬さにより使い分けています。研磨力が強く前の砥石からのつなぎに使う＃1000、非常に硬い、包丁の形を造るための＃1000、傷を消して天然へのつなぎに使う＃1000の3本です。

一本の砥石で仕事をするより、砥石の特徴を考え分担してそれぞれの作業をさせることで、仕事の効率が格段に早くなります。

また砥石の硬さは面直し砥石の粗さと密接に関係していて、砥石が硬ければ硬いほど粒子の粗い面直し砥石を使用した場合、刃物に付く傷も深くなる傾向があります。そしてこの作用を逆に利用することで127ページの「砥石の平面を保つポイント」にあるように、平面の出た砥石を面直しにすることで必要な砥石を作ることができます。

また研いだ部分の色の違いも、砥石を変える重要なポイントとなります。硬い砥石と軟らかい砥石では肉眼での研ぎ上がりが異なり、地金や鋼が曇るものや、同じ＃1000でも地金も鋼もピカピカに光るものがあるので、それが細かく番手を変え

＃1000 のマグネシア砥石。研いでいるときは砥汁が出るが、一度水で流すと簡単に研ぎ跡が消えてしまう。(P132 写真 15 と比較)。

21 切刃の研ぎは白巣板の黒蓮華→蓮華巣板。軟らかい石で人造砥石の傷を取り、形を整えていく。

22 白巣板巣なしは地金にムラが出ることがあるので、鋼の仕上げに使っている。

23 最後は敷内曇による仕上げ研ぎ。軟質→硬質の砥石を順番に使っていくことで、最後は見事に鋼と地金との境がくっきりと浮かぶ。

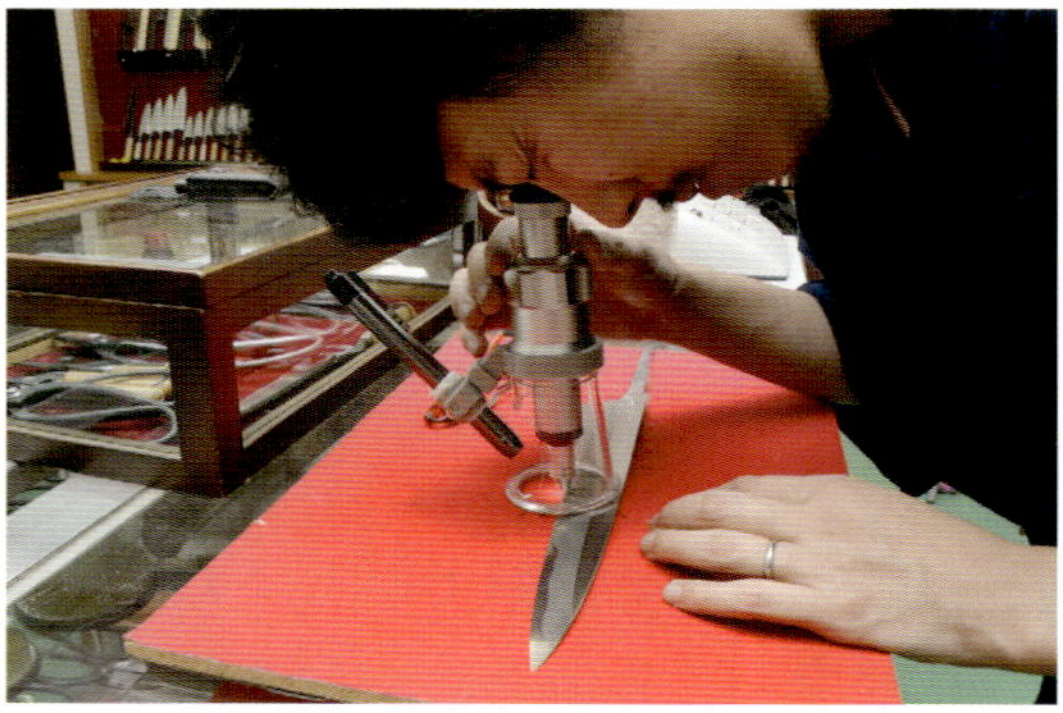

24 この最終段階は顕微鏡で刃線を確認しながらの作業となる。

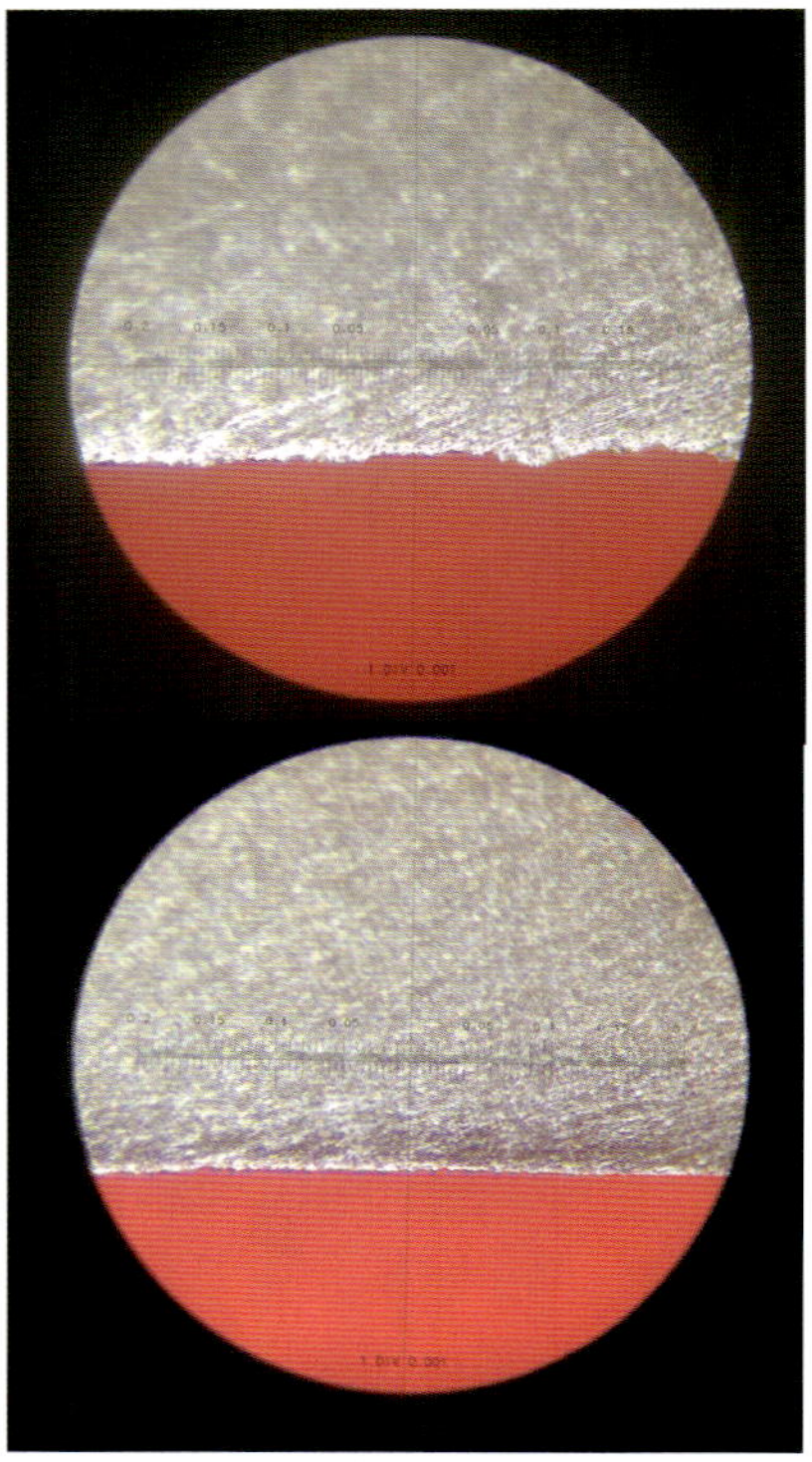

軟らかい人造砥石＃1000（上）と白巣板黒蓮華（下）で研いだ刃の比較。人造砥石でも傷が浅くなっているので天然への移行がしやすい。

て砥石を使う理由にもなっています。

天然砥石の使い方

さて天然砥石の研ぎですが、多くの種類から好みのものを選べる反面、研磨成分に相当する粒子の形状や硬さ、研ぎ感などに個体差があります。そのため、天然砥石で研ぎをする上で、それらの特性に対応する方法を知る必要があります。

まず天然砥石の研ぎのポイントになるのが研いだ際に出てくる研ぎ汁です。その研ぎ汁を使って研ぐことで傷を早く消し去り、よい仕上げを素早く達成することが可能になります。

しかし問題は水の量です。水を少なくして練った状態で研ぐのか、それとも水を多くしてさらっとした状態で研ぐのか、それに加えて事前に面直しなどで多くの砥石の泥を出して研ぐの

25 「糸引き」と呼ばれる作業。刃先をまっすぐで左右のブレもなく高さも揃った刃に仕上げる。砥石は中山の「戸前」。写真ではわかりづらいがストロークは5㎜〜1㎝程度で、2〜3往復程度で研ぎ終える。

26 最後に裏の刃返りを取る。

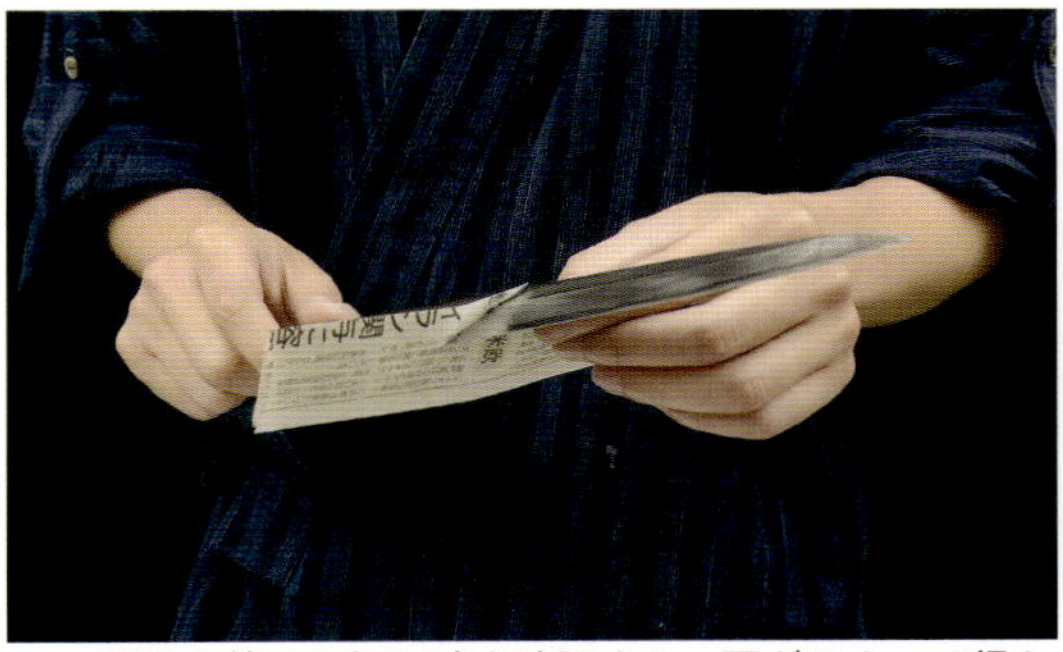

27 新聞を使って切れ味を確認する。研ぎによって得られた様々な刃先の形状の違いによる新聞紙の切れ方を記憶することで、切る際の音や感触で刃先の形状がどのようになっているかわかる。

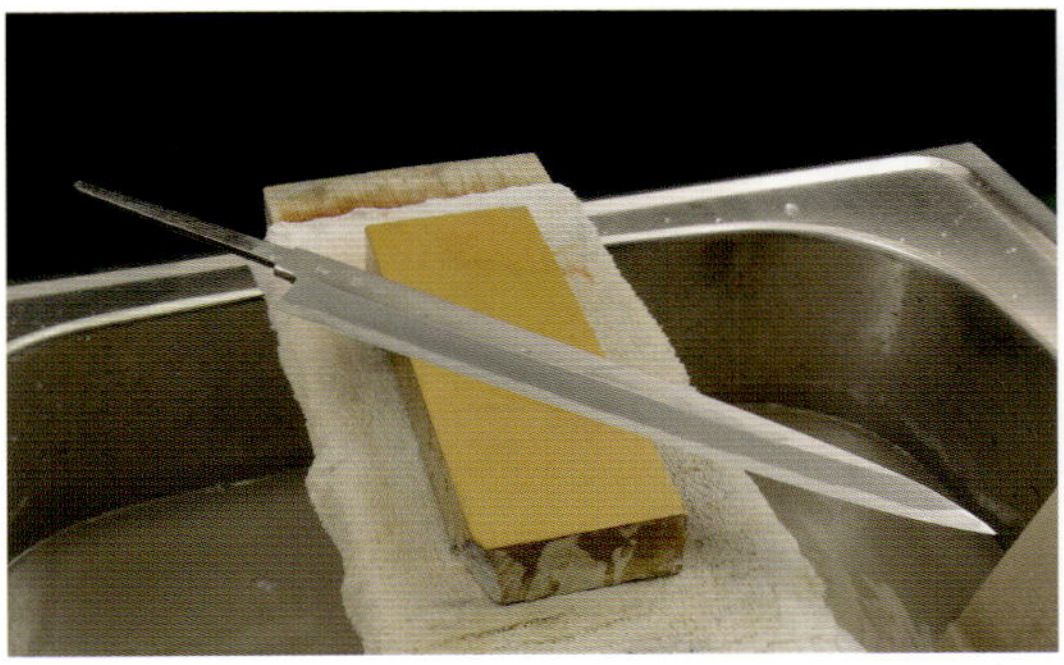

28 研ぎ上がり。1度しっかり研いでおけば少し切れ味が落ちたと感じた時点で、仕上げ砥石で糸刃を軽く研いだだけで切れ味がよみがえる。

か、少なくして研ぐのか…これだけでも研ぎ感や仕上がりが変わります。

そのため使う天然砥石に合った泥の濃度を調整することが一つの技術ともいえます。ここで使った白巣板黒蓮華は、水を少なくして練るように使い、蓮華巣板や敷内曇りは白巣板黒蓮華に比べて水を多くして、サラッとした状態で研いでいます。

天然砥石の中には非常に硬い砥石もあり、なかなか砥石の泥や研ぎ汁を出すことができないものがあります。ここで使っている中山の砥石がそれに該当します。泥が少ないと傷が入ったり、ツッパリ感が出てしまうことがあり、それを緩和するために、他の質の近い砥石を擦り合わせて砥石の泥を出す方法があります。

他にも研磨性の向上や鏡面仕上げのためなど、目的に応じた砥石を作ることもできるので、研いで思うような研ぎが出来ない場合は試してみて下さい。

力の入れ方も研ぎに関係します。硬い砥石になればなるほど砥石にクッション性がなくなるため、入れた力が刃物に傷をつけるという形で跳ね返ってくるケースがあります。砥石によっては力加減で改善される場合があるので、傷がつくようであれば段階的に力を抜いてみてください。また包丁を動かす方向を変えることで、きれいに研げるケースもあります。

45°から縦研ぎに変えてみたり、場合によっては砥石を上下逆にするだけで傷が入りにくかったり、研磨力が変わることも考えられますので、上手く使えない天然砥石がありましたら、試行錯誤してみて下さい。

ハマグリ刃のイメージ図

切刃全体にハマグリ刃を作る研ぎ方

出刃包丁研ぎのコツ

出刃包丁も柳刃包丁と同じように研いでいくが、刃元近くは骨などを叩き切るために切っ先よりも厚みがある刃先に仕上げる。切刃をはまぐり状に研ぐのがポイントとなる。

丸みをつける研ぎ方

片刃の包丁の研ぎ方は、基本的に同じです。出刃包丁も柳刃包丁と同じ手順で研いでいきます。

ただし魚の骨なども相手にしなければならない包丁なので、刃元側の刃は鈍角に仕上げ、頑丈に仕立てます。そのためには裏を仕上げた後、切刃の部分を研いでいきますが、ここでの研ぎ方に注意が必要です。

多くの出刃包丁は切っ先から刃元に向かって鈍角にひねりが加えられているので、その状態をいかして研いでいきます。しかしそれでも骨を切るため欠けの心配があるのが出刃包丁です。

そこで切刃をハマグリ刃にする研ぎ方が有効です。

ここでのポイントは砥石を使う際のストロークと速さです。研ぎは円運動（118ページ参照）であることを説明していますが、その動きを利用していきます。研いでいる切刃の面の部分に必ず指が乗っているようにして、短いストロークでゆっくり撫でるように研ぐと面ができやすく、逆に速いスピードで砥石いっぱいを使うようなストロークで研ぐと丸みがつきやすくなります。

研ぎの手順

出刃包丁は切刃の角度を変えて研ぎます。魚をさばくための切っ先側は鋭角に、骨を叩いて切る刃元側は鈍角に、ハマグリ刃になるように研ぎます。指を当てている部分で研ぎ分けるようにします。

①一番切っ先に近い部分は切刃の面のまま研ぐ。

②この辺りから少しずつ丸みをつける。

③さらに丸みを加える。

④ここで一番丸みをつけ、刃先に厚みを持たせる。

原理として砥石の上を動かす際の刃物にかかる力が関係しているという考え方で、表を研ぐ際、砥石いっぱいを使って、砥石に対して力を入れて引くように研ぐと鎬側が研げ、逆に押すように研ぐと刃側が研げるのがわかります。これらのことを理解することで、上の写真のように、研ぎながら部分的にハマグリ刃の丸みの強さを調整することができるようになります。

もちろんハマグリ刃の丸みを強くしたければしゃくり研ぎを入れるのも方法の一つです。

縦研ぎの有用性

砥石に対して縦に研ぐ方法と、45°くらいに斜めに当てて研ぐ方法がありますが、45°に研ぐ場合はストロークの最中に丸みを加えることになるので、技術的な難易度が高くなります。縦に研ぐ場合は一度のストロークでは角度を固定したまま、徐々に角度を変えていけますので、手が慣れていない人にはこの方法がお勧めです。

写真では荒砥と仕上げの天然砥石しか載せていませんが、砥石の番手を上げていく順序は、柳刃包丁と同じです。刃の崩れ方や切れ味の落ち方によって必要に応じた砥石から研ぎ始めて下さい。

骨などの硬いものを切ることに対応するため、刃元を頑丈にする方法としては、刃元側を両刃に研ぐ方法もあります。ただ

縦研ぎの場合、矢印のように刃の角度を変えながら研ぐが、一度のストロークでは角度を変えないので安定した研ぎがおこなえる。

1 裏研ぎは柳刃包丁と同様に裏がすべて当たるように研ぐ。

2 切刃の研ぎは荒砥の段階からハマグリ刃を作っていく。最初は切っ先を切刃の面に合わせて研ぐ。

3 徐々にストロークを長することで切り刃に丸みを付けていく。指を当てているところが研いでいる部分。

4 刃元側ではさらに刃を立てる。ここだけを研ぐのではなく、必ず切っ先からストロークを伸ばしていく。

5 同様に砥石の番手を上げながら研いでいき、最後は仕上砥で刃返りを取る。

6 最後に表から、数ミリ程度のストロークで包丁の重さだけで研ぎ「糸引き」を入れる。

7 これは間違った研ぎ方。砥石から指がはみ出してしまい、砥石の角だけで研ぐことになる例。

し一度両刃にすると片刃に戻したいと思ったとき、かなり裏を研ぎ減らさなくてはなりません。

　そういったことを考えると、片刃のまま徐々に鈍角にしていく方が刃を無駄にすることなく、使っていくことができます。

　写真⑦のような研ぎ方をすると、砥石の角に当たった部分だけ強く研ぐことになります。

形を崩さないための

薄刃包丁研ぎのコツ

片刃の包丁を研ぐ手順は基本的には皆同じだ。しかし薄刃包丁はその独特な形状のため、研ぎ方を間違えると形が崩れてしまう。まずは形状をしっかり把握し、研ぎ方の注意点を理解しよう。

まずは形状を知る

ほとんどの鍛造された和包丁は刃元の方に厚みがあり、切っ先側に向かって薄くなった、いわゆるテーパー状になっています。しかし薄刃包丁は基本的には直線的な形状のため、切っ先と刃元で刃幅があまり変わらなければ、切刃の角度が刃元は鈍角で切っ先に向かって鋭角になる、ひねりがある状態になります。

140ページの写真①は新品の薄刃包丁の切っ先の切刃を平らな砥石に当てているものです。切っ先は前述の通り鋭角になっているため、刃元側が浮いているのがわかります。薄刃包丁の研ぎをしっかりとおこなうには、このひねりを認識することが重要だといえます。

ひねりの問題点

和包丁の切刃の研ぎは切っ先からおこなう方が多いかもしれません。しかし薄刃の場合はひねりの関係で切っ先から研ぐと問題が起きやすいので注意が必要です。

写真①の包丁を研ぐイメージをして下さい。切っ先は砥石に刃先まで当たっていますが、刃元は砥石に当たっていません。刃元で砥石に当たっているのは鎬です。そのまま研いでいけば切っ先はかえりが出て刃返りは出ますが、刃元は鎬ばかりが削れてしまいます。

写真②は減った薄刃包丁を刃先側から見たものです。刃元では見えている切刃が、切っ先に近づくに従い見えなくなっています。これは切っ先付近のみを研いでしまい、研いで減った切っ先付近の刃先は裏すきの深いところに位置するため、峰に対して刃が刃元から左斜めに付いているようになってしまいます。そのため写真③のように平らなところに包丁を置くと、切っ先に向かって刃先が浮いてしまうのです。

このことから薄刃包丁は、峰と刃線が平行になるようにまっすぐに研がなければならず、食材を切ったとき厚みが変わってしまうことも考えられます。

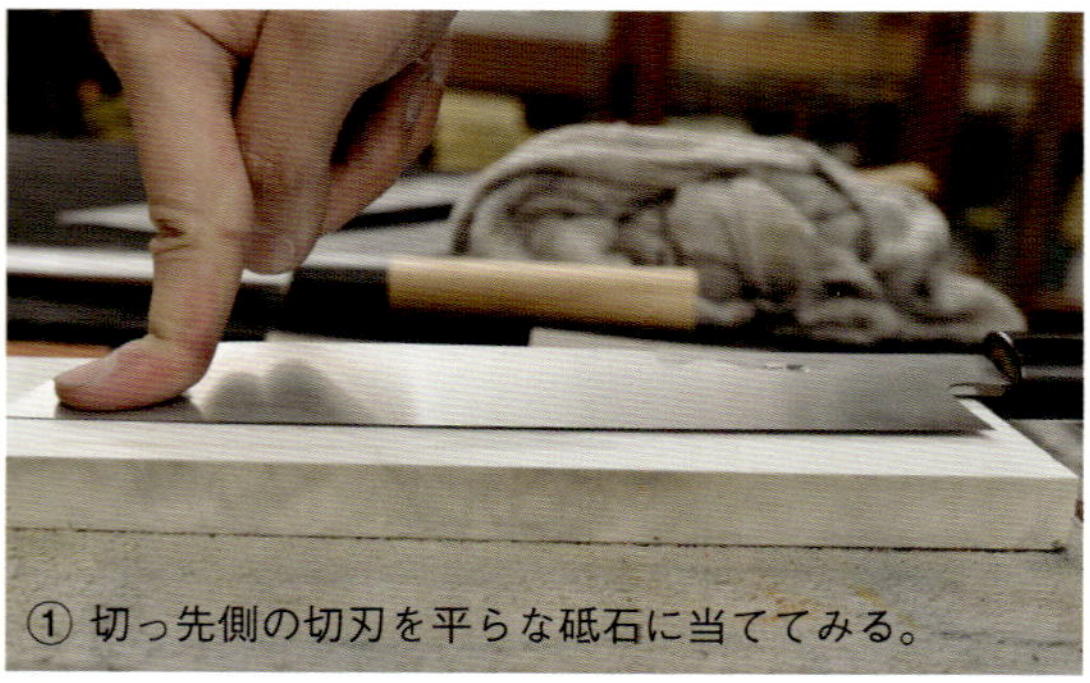

① 切っ先側の切刃を平らな砥石に当ててみる。

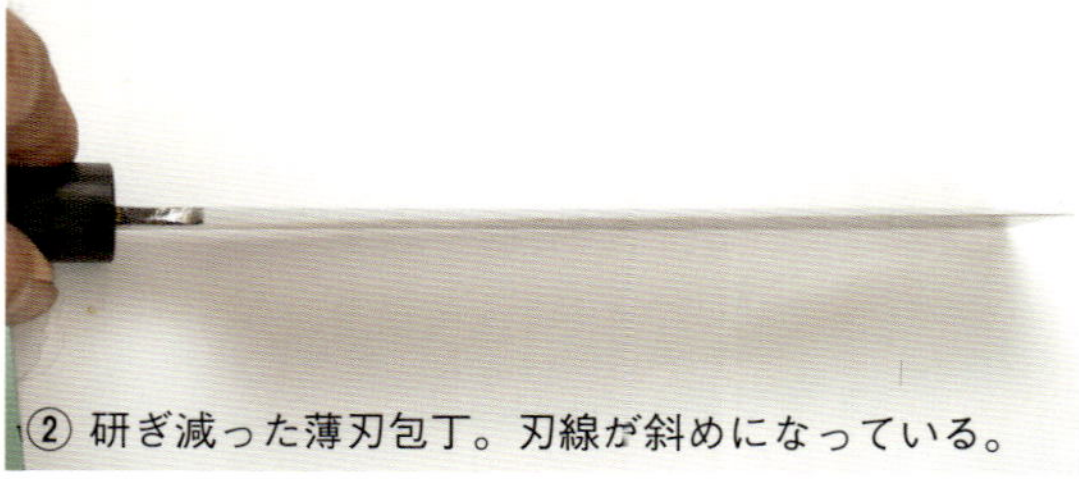

② 研ぎ減った薄刃包丁。刃線が斜めになっている。

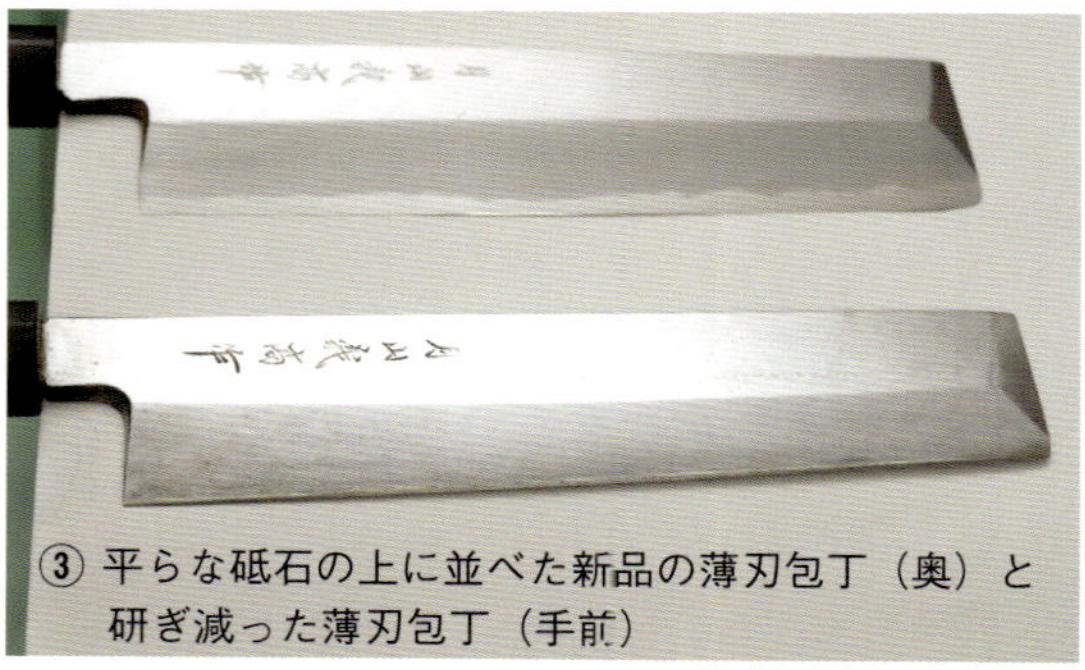

③ 平らな砥石の上に並べた新品の薄刃包丁（奥）と研ぎ減った薄刃包丁（手前）

刃元を基準にした研ぎ方

薄刃を研ぐ上でのポイントは刃元を基準にして研ぐことです。写真④では切り刃が赤い線で区切られていますが、最初に下の刃元部分から研いでいきます。

刃元は鈍角になっていますが、それを基準に研げば切っ先部分の鎬側は研げず、切っ先部分の刃先側のみが研げるため、包丁の形を崩すことがありません。要するに刃元を基準に研げば刃先側は刃元から切っ先まで研げるため、峰と刃線が平行になる形を維持することができるのです。

このとき形を作り、どのように研げているかをある程度確認するまでは写真⑤のように縦研ぎをお勧めします。この縦研ぎで研がれた包丁が写真⑥です。ちょうど半分、斜めに研がれているのがわかります。きちんと研げていれば刃返りが刃元から切っ先まで出ているので写真④の下の部分の研ぎが終わりになります。

このまま同じ工程を仕上げ砥石まで使って研ぎ、糸引きをして終わってもよいのですが、写真④の赤い部分も仕上げたいものです。赤い部分で気を付けなければならないことが、ひねりです。切っ先は鋭角で刃元にいくにつれて鈍角になることを頭に入れて、切っ先から力を入れ

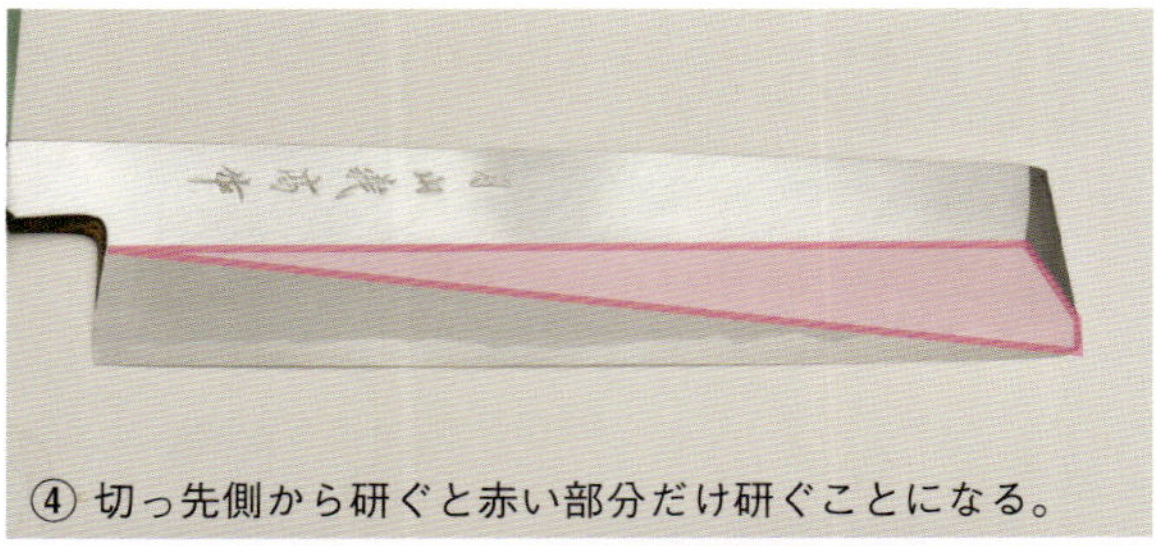

④ 切っ先側から研ぐと赤い部分だけ研ぐことになる。

⑤ 縦に研ぐ安定した研ぎ方。

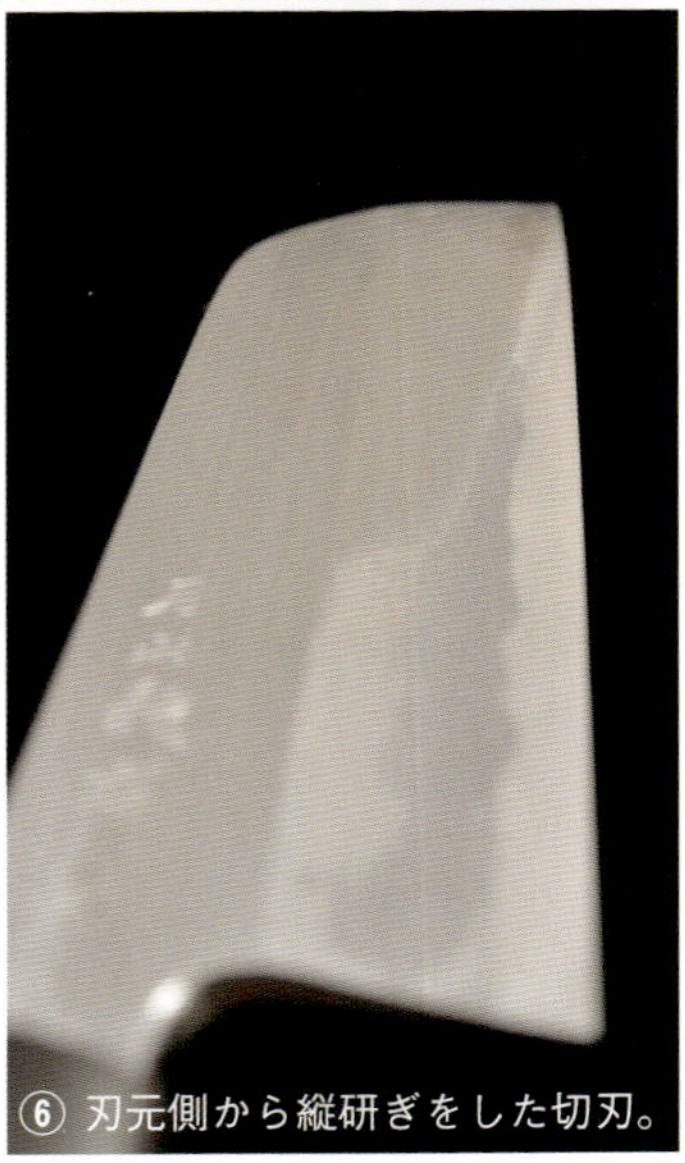

⑥ 刃元側から縦研ぎをした切刃。

ずに鎬の角を感じつつ小刻みに前後しながら刃元まで研いでいきます。硬めの砥石を使うといいでしょう。上下二分割で研ぐことで大きく形を壊さずに研ぐことができます。

ひねりと小刃（段刃）

理屈がわかり慣れてきたら、ひねりに合わせた研ぎに挑戦してみて下さい。切っ先は鋭角で、刃元は鈍角になるように利き手で包丁に合わせて研いでいきます。この時は縦研ぎではなく45°に研ぐ方が研ぎやすいと思います。この動かし方のコツがわかってくれば柳刃も出刃もひねりに合わせて研ぐことができるようになると思います。

和包丁は刃元から切っ先に向かってテーパー状になっているものが多く、またひねりがあるように切刃が長いため、刃先は薄くなる分欠けに弱くなるリスクも高くなります。そのため小刃（段刃）を付ける研ぎもあります。写真⑤の縦研ぎでも45°の研ぎ方でも結構ですが、切り刃をベタリと砥石に当てた状態からほんの少しだけ刃先を起こし、その角度を維持しながら研ぎます。刃境から刃先までの広さを研ぐイメージです。この研ぎ方で刃返りが出て刃線が整ったら二分割研ぎかひねりに合わせて研いでいきます。また写真⑤の研ぎ方で137ページの左下写真のように研いでハマグリ刃にすることもできます。ただし縦研ぎは砥石の同じ場所を使用する頻度が高いため、砥石の減りが早いことに注意をしてください。

ことも話しました。これらには形の効用があると考えており、引き切りをしたとき厚みが薄くなるために刃の抜けがよく、さらに角度の違いによる刃の抜けも期待できます。

また押し切りをしたときは逆に割り込みの効果があると考えられます。そのため軟らかいものは引いて切り、硬いものは押して切った方がきれいに切れるのです。使用用途や使い勝手などに合わせて自分だけの研ぎを探してみてはいかがでしょうか。

薄刃は120ページでも既述した

包丁と長く付き合うための

包丁のメンテナンスと保管

包丁は研いでいけばだんだん減ります。研ぎ減った包丁はまだまだ使えますが、汚れたまま放置して錆びや腐食した包丁は使い物になりません。長く、大切に使っていくには、使用方法を間違えないことや、使った後のメンテナンスなどの知識も必要です。

正しい使い方を心がける

包丁は研いでいくに従い、徐々に刃が減っていきます。短くはなるものの、切れ味が衰えなければ、まだまだ使い道はあります。上の写真は、新品の柳刃包丁と、同じ包丁の研ぎ減ったものです。刺身を切るには少し刃渡りが短すぎるかもしれませんが、使い道を変えれば、まだまだ使用できます。

いかに刃が切れていても、柄を水に浸けたままにすると、内部が腐食し、使い物にならなくなります。また用途とは違う使い方をしても、刃を壊す原因になります。

包丁を長持ちさせるためには、使い方を間違えず、使い終わったあとは汚れを落とし、よく拭いておきましょう。熱湯を掛けて汚れを落とす人がいますが、合わせの場合は刃が歪む原因になるので避けた方がよいでしょ

細かい傷を取ることも錆びを防ぐ方法。クレンザーやジフなどをゴムで磨く。消しゴムでもよい。

写真は冷凍食品を強引に切ったために欠けた包丁。まっすぐに刃を下ろせばよいが、こじるとこのように欠ける。

包丁を保管しておくときは椿油を塗っておくとよい。油壺は刃物に油を塗るときはあると便利。

柄を水に浸けてしまった柳刃包丁。柄の内部に湿気が残り、中子が錆びてしまっている。

使用した椿油。食用油は長期保管する場合、酸化して粘ついてしまうので注意が必要です。

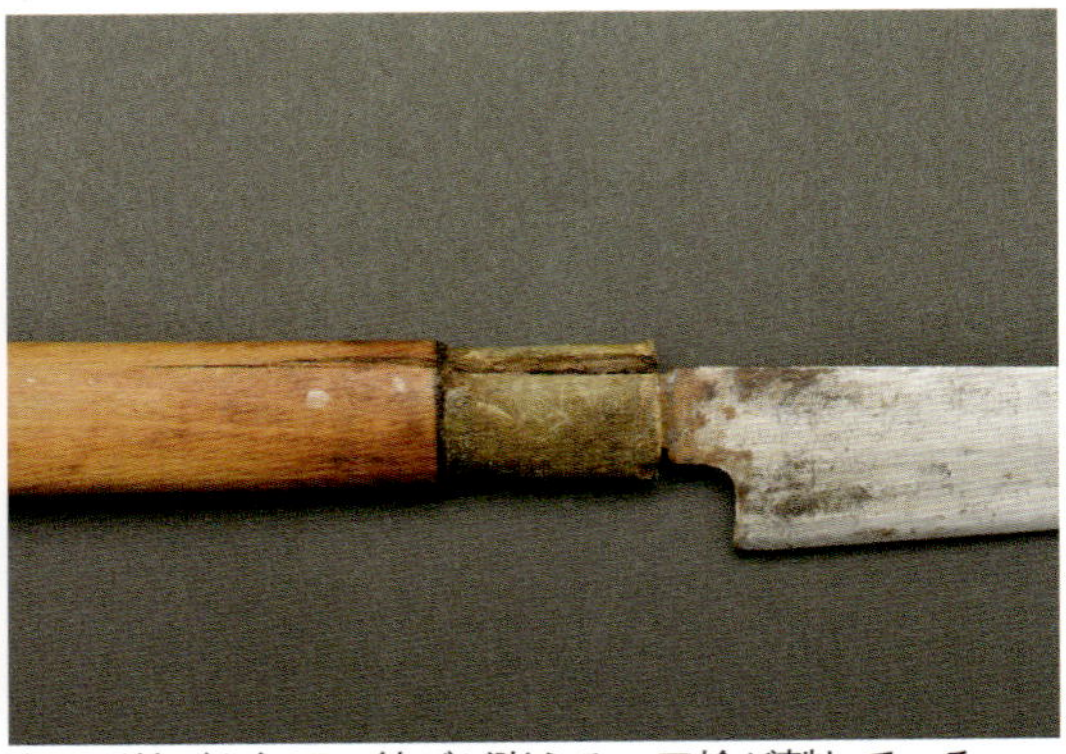

中子が錆びた包丁。錆びが膨らみ、口輪が割れている。

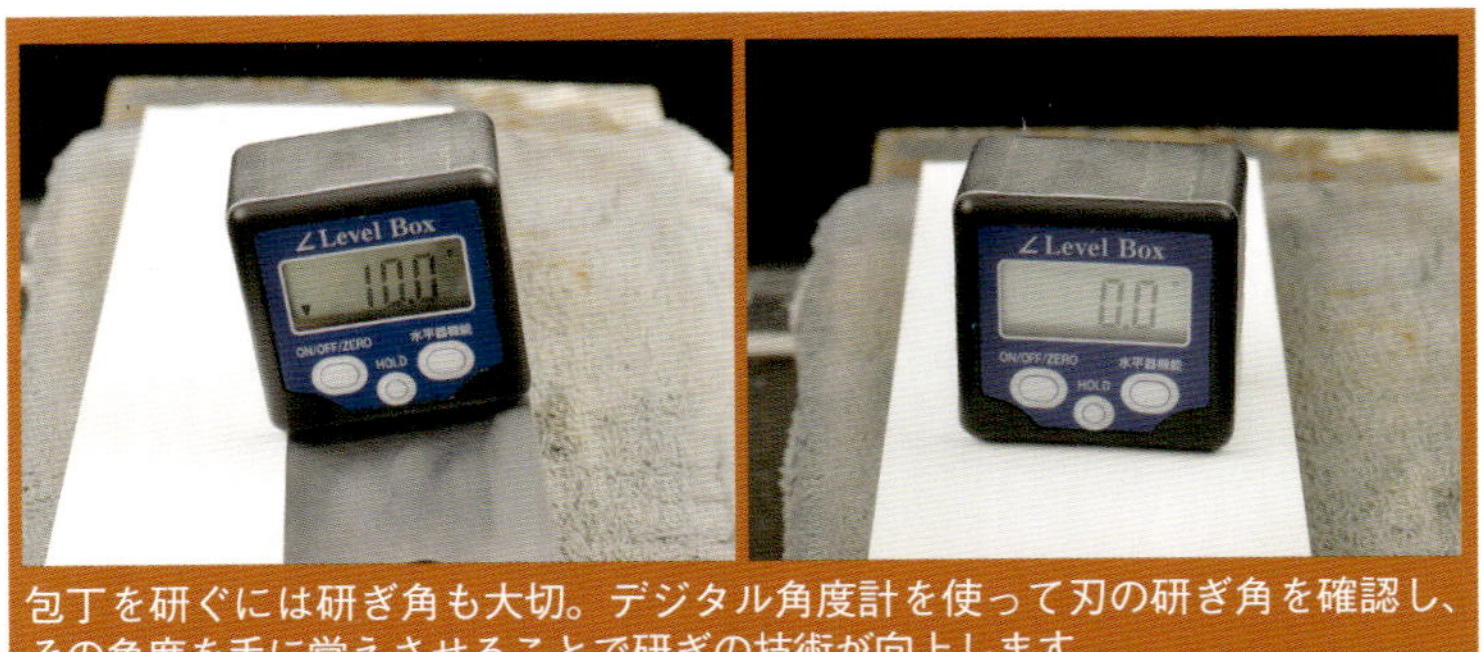

包丁を研ぐには研ぎ角も大切。デジタル角度計を使って刃の研ぎ角を確認し、その角度を手に覚えさせることで研ぎの技術が向上します。

う。

ステンレスの包丁は錆びにくいので、使ったままにしがちですが、木製の柄は水に浸けたままにすると腐るので、やはり汚れなどはよく落とし、乾燥させて保管しましょう。

普段使わない包丁の保管方法

普段あまり使わない包丁は、錆び防止のためにも、保管に気を配りたいもの。新聞紙を使った保管はインクの油分で錆びの防止にもなるので、手軽な方法です。丁寧に包んでおくと、そのまま鞘にもなるので、簡単で実用的な方法を紹介します。

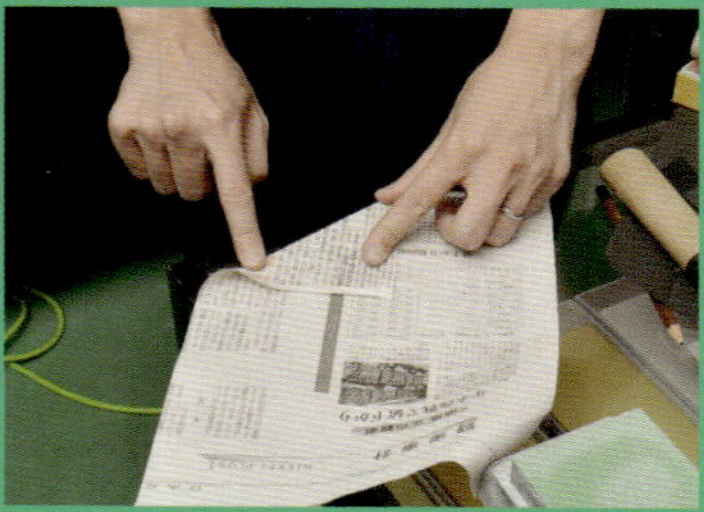
1. 新聞紙をA4サイズくらいに切り、角を斜めに折る。

2. 折った新聞紙の角に包丁のアゴを引っかけるようにする。

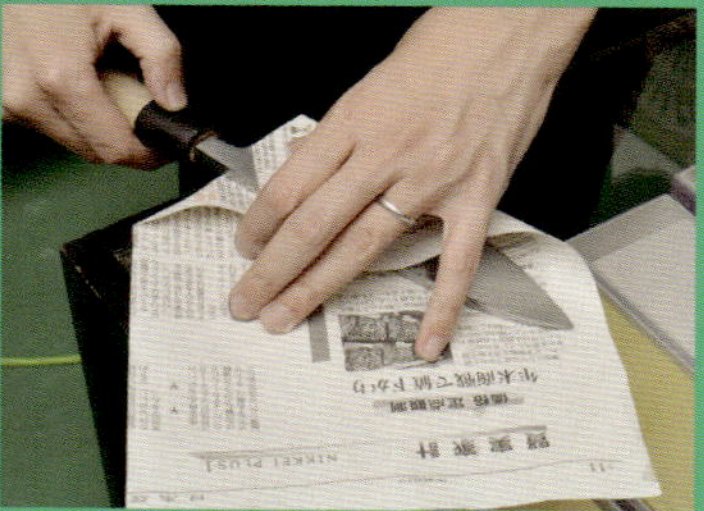
3. そのまま1回転、回すように包丁の刃を包む。

4. 峰側にたるみができないように巻いていく。

5. 一回転包んだら、峰に沿ってしっかりと折り目を付ける。

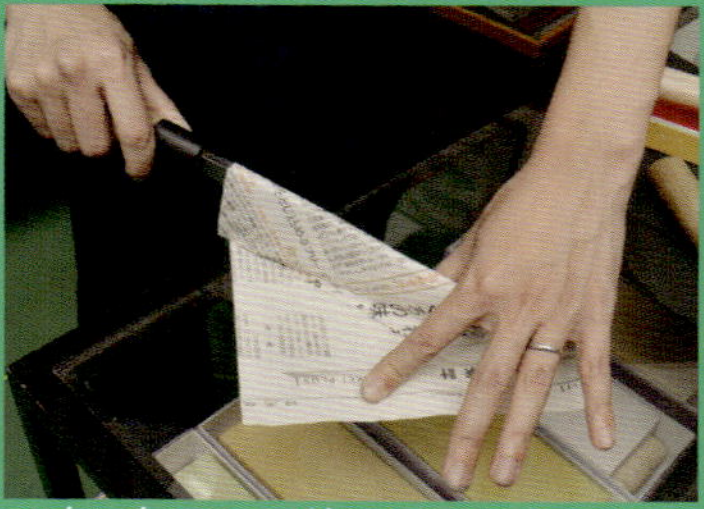
6. 次に包丁の刃線の反りに合わせて折り込み、もう1回転折る。

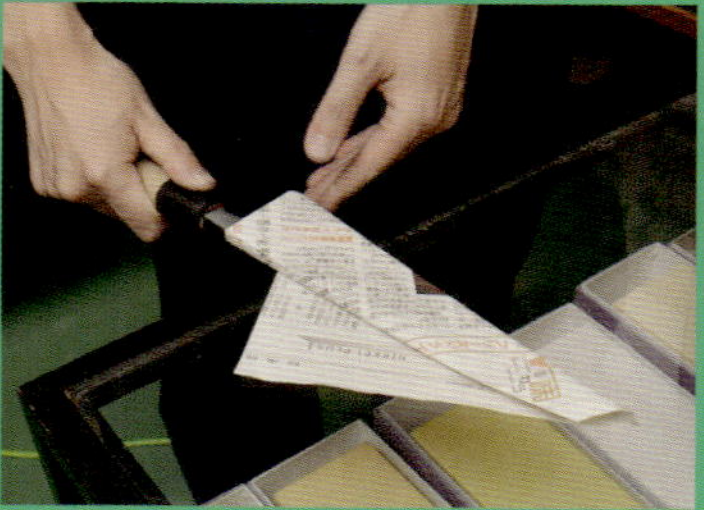
7. 残った部分もそのまま巻き取る。

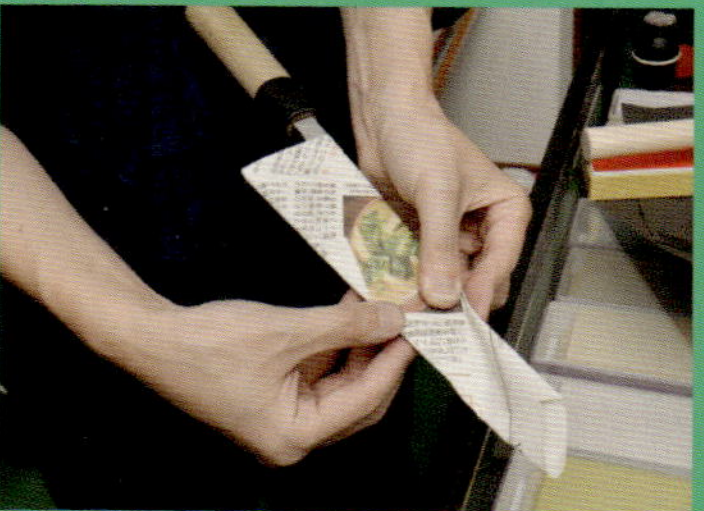
8. 次に峰の反りに合わせて、新聞紙に折り目をつける。

9. そのまま切っ先に巻き付けるように折っていく。

10. 残りも全て折っていく。

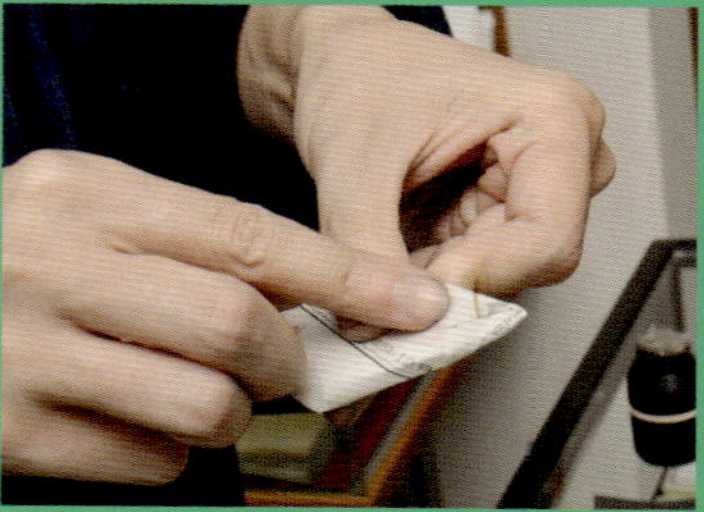
11. 最後に折った部分をセロテープで止めたら完成。

12. アゴの部分を破ると、そのまま鞘としても使える。

包丁だけでなくカスタムナイフや大工道具をはじめ刃物全般を扱っている。

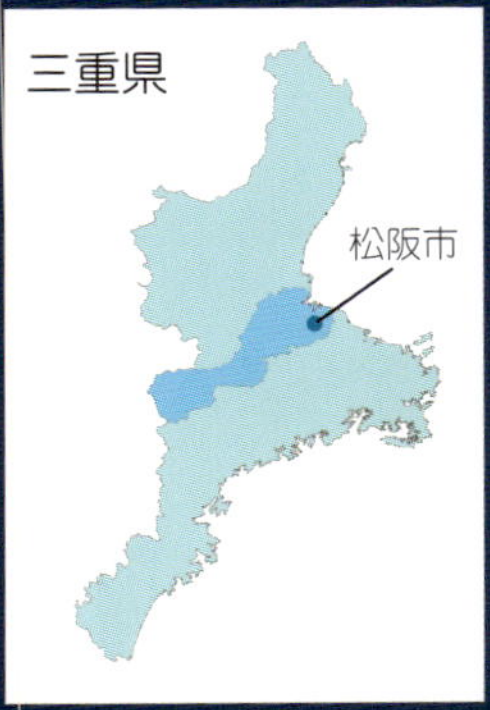

昭和20年創業、刃物店の三代目として、月山義高刃物店の店頭に立つ。4年間勤務した木屋では立川、日本橋、新宿の高島屋で店長を勤め、その後家業を継ぐために三重に戻る。
入り口には「包丁研ぎ師」としての看板も掲げ、完全予約制のマンツーマンで教えてくれるので、研ぎ講習に来るお客さんが後を絶たない。2010年8月からスタートした研ぎ講習は4年目になる現在、620名の受講者を数える。
「切れ‘味’研究会月の会」や「研ぎ文化振興協会」など、さまざまな活動を通して包丁研ぎの大切さと楽しさを広めている。

月山義高刃物店

三重県松阪市久保町 1843-3
0598-29-0352
定休日：水曜日・木曜日

藤原将志さん。刃物店主でありながら、自らを「職人」と位置づけている。研ぎについての問い合わせも多い。

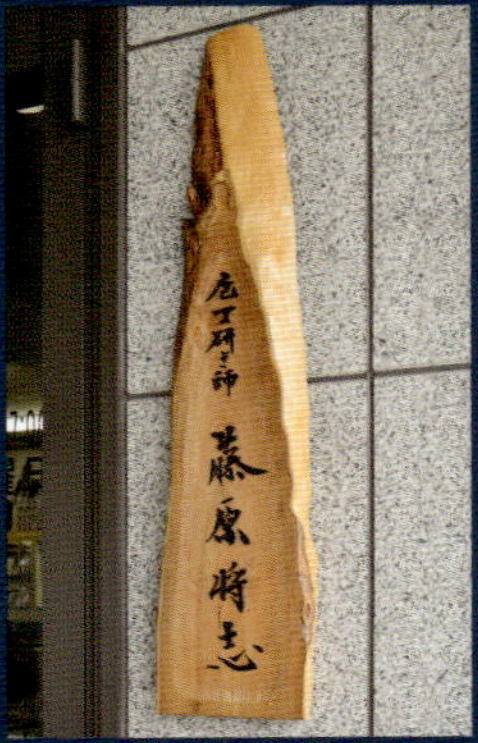

左：入り口には「包丁研ぎ師」看板も。
右：藤原さんの研ぎ場。さまざまな砥石が、すぐ使えるように整理されている。

魚介類の仕入れは1日2回。時間帯の違う入荷に合わせて買い出しに行くという。新鮮な魚へのこだわりは強い。

料理人が選んだ包丁、刃物屋が選んだ料理人

名古屋で修行し、松阪市にお店を構えて3年になる「ごはん屋東郷」の大将、中津さん。包丁については、店をオープンする前から月山義髙刃物店の藤原さんに相談していました。次第にお互いの技術を認め合い、今では包丁の定期的なメンテナンスはすべて月山義髙刃物店に任せているといいます。また、藤原さんも新しい包丁の使い心地や研いだ刃物の切れ味などを中津さんに試してもらうそうです。

包丁に関わる、業種の異なるプロ同士の意見交換で、より切れる包丁の提供と、よりおいしい料理作りをそれぞれが目指しています。

近所の高校生も食事に来る。大将の人柄からか、料理についての質問も多い。

食事に来る家族連れにも、一人で飲みに来るお客さんにも、居心地の良い雰囲気が人気。

大将の中津正人さん。ランチから夜の定食まで、学生や社会人、家族連れと幅広い客層に人気が高い。「パジャマで来て下さってもOKです」というほど、気軽さを大切にしている。

ごはん屋東郷

※現在は営業していません。

合砥の歴史と地質学的成り立ち

天然砥石は全国に分布していますが、合砥《あわせど》と呼ばれる天然の仕上砥石は京都でしか産出しません。鎌倉時代から今日に至るまで、刃物の「最終仕上げ」を担ってきた合砥。その歴史や地質学的な成り立ちを解説します。

この原稿は京都教育大学名誉教授理学博士　井本伸廣先生の協力のもと編集し、「大工道具・砥石と研ぎの技法」に掲載したものに最新のデータを加筆したものです。

1　江戸時代に砥石の用途が拡がった

建築、工芸など刃物をつかう分野に大きな影響を

合砥の採掘は平安時代にまで遡ると伝えられていますが、砥石の発祥が少なくとも八百年以前の鎌倉時代に遡ることは、重要文化財の神護寺領絵図（寛喜二年・一二三〇年）に砥取峯（とどりみね）が示されることでもわかります。建久元年（一一九〇年）源頼朝より日本礪石師（れいせきし）棟梁に取立てられた本間藤左衛門が免許を受けて、鳴滝、梅ケ畑、高雄を中心に良質の合砥が採掘されてきました。

現代の一般家庭において「砥石」とは、包丁を研ぐための石であり、便利で簡単に研げるシャープナーなどもある中では、一家に必ずある物…とは言えなくなってきているかも知れません。

しかし日本がまだ武家社会であった時代、腰に刀を携えていた時代、その刀を研ぐ道具は、とても重要なものだったでしょう。そしてその刀剣の研ぎや目利き、鑑定を家業とし、室町時代より江戸時代の終わりまで、時の幕府に仕えてきたのが本阿弥家です。

本阿弥家は、徳川将軍家から鳴滝、高雄、梅尾など五か所の砥石山の支配を許されて砥石山を支配するようになり、明治維新まで続いた家です。

砥石は主に特権階級層に上納される「上物砥石」を扱うのですが、「難物」とされる「御用砥残品」を、売りさばいてよいことになり、専ら刀剣用に使われていた砥石は、大工道具や剃刀などの広い用途に向けられるようになります。

「難物」、「御用砥残品」とはいえ、刃物の切れ味、性能を従来の砥石に比べ最大限に引き出したため、建築、工芸など刃物を使うあらゆる分野において大きな影響を与えるようになり、砥石山も丹波各地から滋賀まで広がり、産出量も増えていきました。

このように合砥は古くから日本人の生活に密接に関わってきました。では合砥とは、どのようにしてつくられたのか？　地質学的な見解を見てみます。

2　研磨性能の成因について

合砥の成り立ち

兵庫県から京都府、滋賀県西端部にかけて広がる標高４００～８００ｍの山々が丹波山地で、地質学的には丹波帯と呼ばれています。ここが京都の合砥の産地です。この山地には主に古生代後期から中生代三畳紀～ジュラ紀にかけて海洋に堆積した地層が分布しています。

なかでも合砥の堆積した三畳紀は、約２億５２００万年前から約２億１００万年前までの約５１００万年の期間に相当します。またジュラ紀は約２億１００万年前から約１億４５００万年前までで、約５６００万年の期間に相当します（左上図参照）。この膨大な年数を費やしてできた地層は、全体として丹波層群と呼ばれています。

丹波層群は大陸から当時の海溝に運び込まれた泥が固結した頁岩や砂からなる砂岩が主な地層で、ほかに海洋プランクトンである放散虫の遺骸などが集合してできた層状チャート、海洋底で噴出した玄武岩熔岩、凝灰岩などで構成されています。

中生代の区分

中生代	約２億5200万年前	
	三畳紀	古赤道付近の深海底に合砥のもとになる細かい石英粒子や粘土鉱物が堆積。 合砥層やチャート層を乗せた海洋プレートが大陸に向かって移動。 （速度は年数センチメートル）
	約２億100万年前	
	ジュラ紀	青砥のもとになるやや粗い堆積物が、合砥層の上位に重なる。 大陸東縁部の海溝に到達した海洋プレートが沈み込む。 合砥層・チャート・青砥層などが引き剥がされて、大陸から供給された泥や砂の層に混合・付加。
	約１億4500万年前	
	白亜紀	地下深部で花崗岩マグマが形成され、砥石層に接触変成作用を与える。 地層全体は上昇し、風化作用は進む。

合砥（カラス）の生痕（黒っぽい部分が底生生物の這い跡）

（１）合砥の起源

①年代　二億五千万年前　中生代三畳紀始め

砥石の堆積した海底は、火山の噴火でできた枕状熔岩などでできていました。またそのころの陸上では恐竜が生活していました。

②堆積した場所

日本列島から数千キロメートル離れた古赤道付近の深海底。

砥石層は古赤道付近で放散虫柔泥（チャートの源岩）と重なって互層となります。

チャートは砥石層との重なりの状態及び形状により以下のように呼ばれます。

Ⅰ…一枚ごとに砥石を挟む「カネ」
Ⅱ…硬くて角型に割れる「キバ」
Ⅲ…砥石層最上部に重なる「まいし」
（150ページの図参照）

深海底に見られる生痕として、砥

石層の上を這い回った生物の這い跡が見られます。

③堆積

細かい石英の粒や粘土が、千年に約一ミリメートルの速度で堆積し、固結して粘板岩となり砥石を構成します。風によって大陸から運ばれたという説もあります。

④移動

古大陸に向かって砥石層を乗せた海洋プレートが一年に数センチメートルずつ移動し、五千万年かかって大陸の東の縁に到達しました。

⑤化石

コノドントの化石が見られることで中生代三畳紀の層であることが判断できます。コノドントの大きさは一ミリメートル前後で、ゴカイに似たコノドント動物の歯に似た器官の一部で、成分はリン酸カルシウム。褐色か黒色で櫛形をしています。

（注）コノドント：魚の歯のような形をし、大きさは１ミリメートル前後で、古生代・中生代三畳紀の海成層から産出する微小な化石で、重要な示準化石です。

⑥海溝

２億年前のジュラ紀の頃、砥石層を乗せた海洋プレートは、当時の大陸東縁の海溝に到達しました。砥石層は海洋プレートが地球内部に沈み込む過程で、引き剥がされて大陸から運ばれた泥や砂の地層と接合しますが、砥石層は断層で切られた状態なので底の部分の様子は不明です。

（２）砥石層とチャート層の関係

①本口成り（ほんくちなおり）

・堆積の場が放散虫軟泥の供給源から遠く離れて堆積したものです。
・砥石層が順序よく成層し、上部に硬くて角型（つのがた）に割れるチャートキバを挟みます。
・最上部には層状チャート（まいし）が重なります。

②中石成り（ちゅういしなおり）

・堆積の位置が放散虫軟泥から離れて堆積し、砥石層が粘土と極道層を柾目に挟んで袋状に成（なお）っています。チャートの影響がありません。

③合石成り（あいいしなおり）

・堆積の場が放散虫軟泥の供給源に近いところで堆積したものです。
・砥石とチャート（カネ）が一枚毎に板目で互層を繰返し、板並びと締まりに影響を受けています。

（注）極道層（ごくどうそう）…砥石にならない硬い石の層。

（３）花崗岩の貫入　一億年前

地下にある砥石の源岩は暗灰色で、硬過ぎて研磨に適しませんが、白亜紀になると温度八〇〇度程の花崗岩マグマの貫入によって周囲の岩石に接触変成作用が起こりました。接触変成作用は、堆積岩類を堅くて緻密な岩石に変

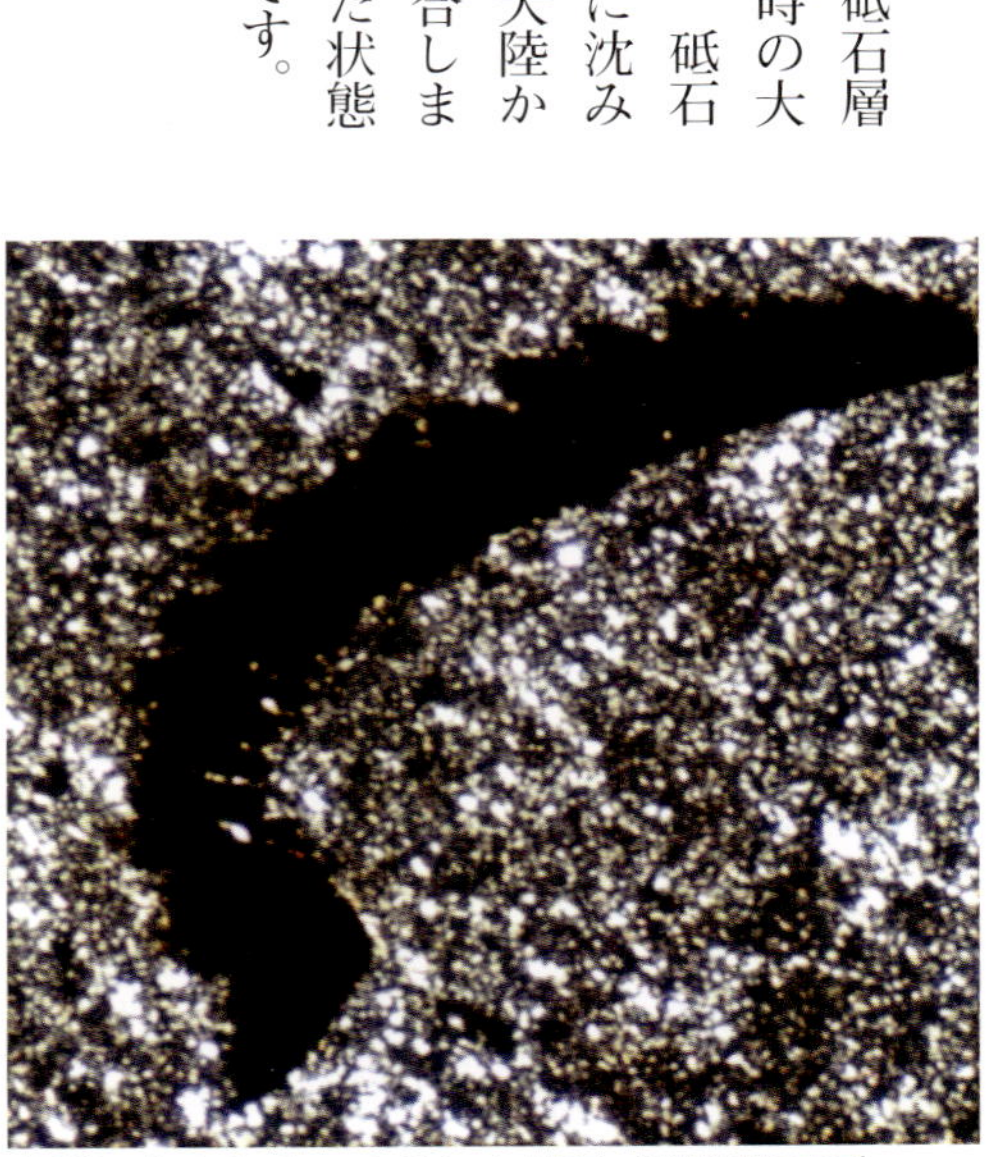

合砥に含まれるコノドント化石（顕微鏡写真）
（長さ約 0.5mm）

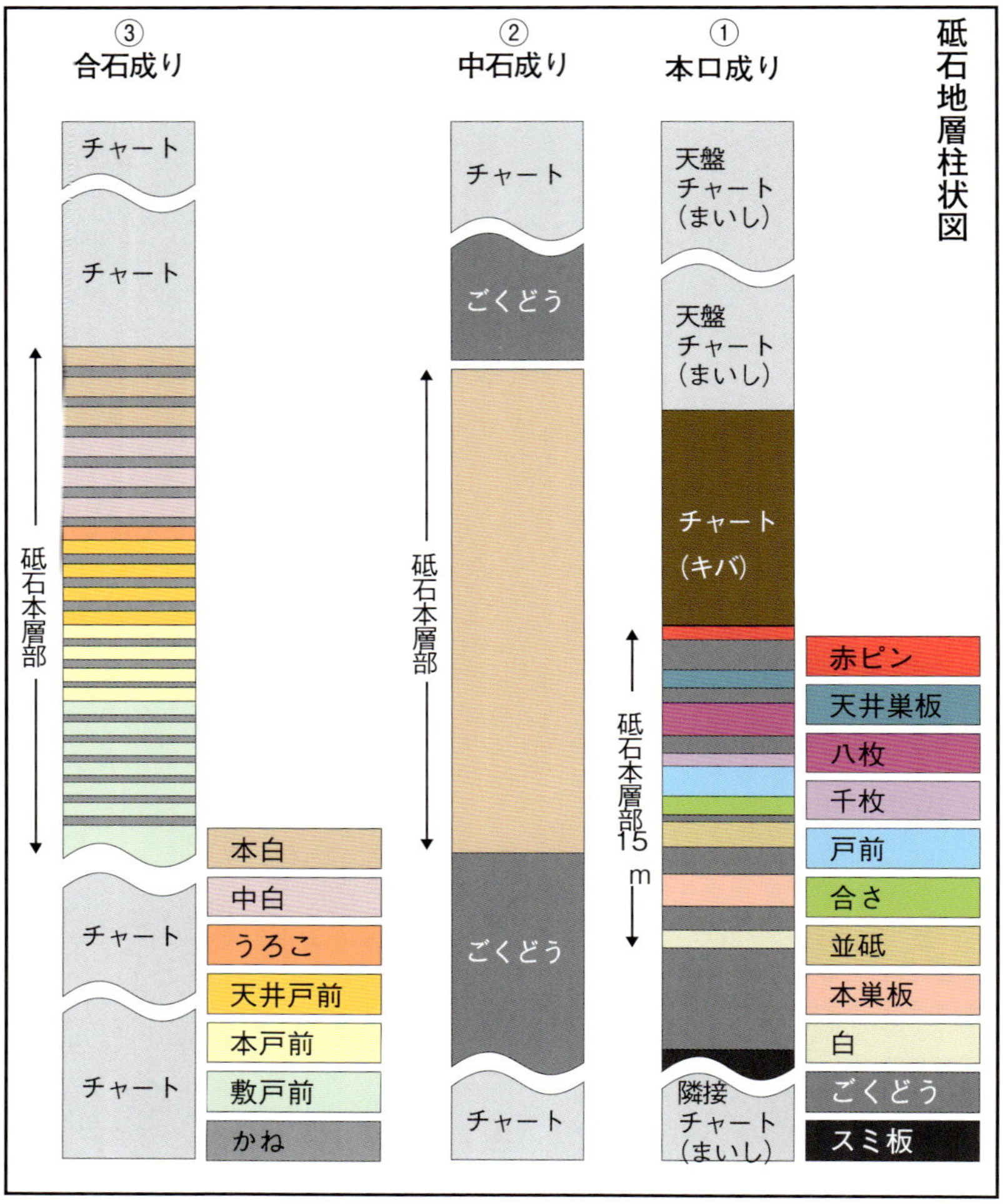

化させます。この岩石は高温下で形成されたところから、常温のもとではかえって不安定で風化が進みやすいことになります。

また、花崗岩マグマの高熱で灼かれると、砥石に含まれている鉄分が空気に触れて酸化し、硫黄分が熱で抜けるため軟らかく研ぎ易くなります。

硫黄分が抜けると暗灰色が青くなり、酸化が進むにつれて黄、白、赤に変色します。

ただし、花崗岩が路頭近くに出ている地域は、高熱で灼かれているために研磨性能は低下します（滋賀県西北部）。

（4）砥石の再結晶　七千万年前

①砥石の源岩が海底で堆積数十メートルに及ぶと、上からの高い圧力により圧縮され、固体のままで新しい結晶ができます。

②断面薄片を偏光顕微鏡で見ると、層理面に20度～40度の斜め方向に砥粒の石英が整然と配列しているのが特徴です。

③砥石の性能を表現するとき、「目が立っている」といえば研磨性能がよく、「寝ている」「四方目」という場合は劣っています。

④石英の角が丸いほど、研いだ時に研磨の条痕が残りません。従って刃先がきれいに研ぎ上がります。

（5）砥石層の違いによる特徴

①戸前は粒度が細かくよく揃っています。並砥がこれに次ぎ、八枚は少し粗くなります。

②合さのカラスはより細かくて炭素質の斑模様《まだら》があります。白、内曇りは雲母の配列が優れています。

③巣板は石英が多く、ガスが抜けた気孔が多いため、目詰まりしないため

研ぎやすい。

④産地により、鉄分の筋入りの多少による差異はありますが、どの砥石の品質、品位も再結晶の段階でほぼ決定します。

⑹ 砥石層の形成　まとめ

丹波帯の地層は古生代後期の海底噴出玄武岩や、それらが累積してできた海山の上で形成された古生代後期から三畳紀、ジュラ紀中期のチャートなどが海洋プレートの移動によって海溝に運ばれ、地球内部への沈み込みの過程でジュラ紀の砂岩や泥岩などの砕屑岩中に異地性岩体として、順次付加混合してできた堆積岩の集合地質体で構成されています。

丹波帯から産出する砥石には合砥と青砥の二種類があります。合砥は三畳紀の始め頃に当時の赤道付近の深海底において放散虫チャートの形成とかかわりながら堆積し、海洋プレートの移動に伴って大陸東縁の海溝に運ばれ、付加されたものと考えられます。

いっぽう青砥は、海洋プレートが大陸に接近したジュラ紀後期の頃に、合

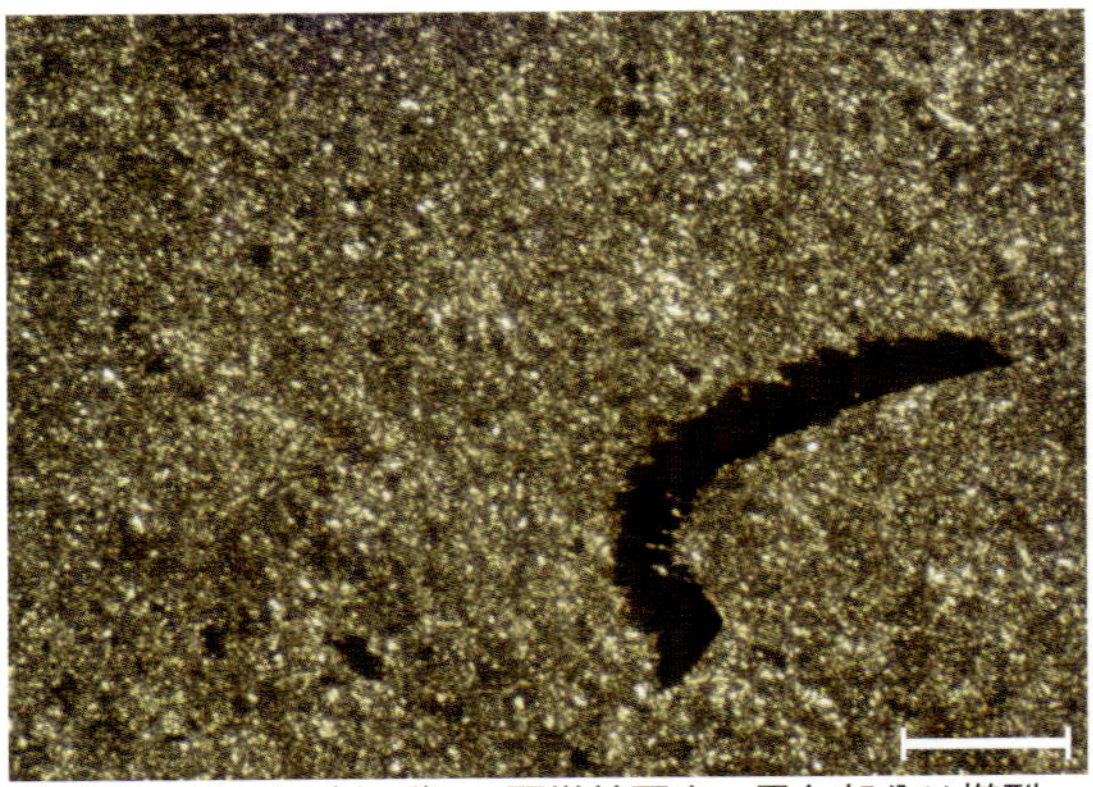

砥石型珪質頁岩（合砥）の顕微鏡写真。黒色部分は櫛型コノドント化石（スケールは 0.1㎜）。

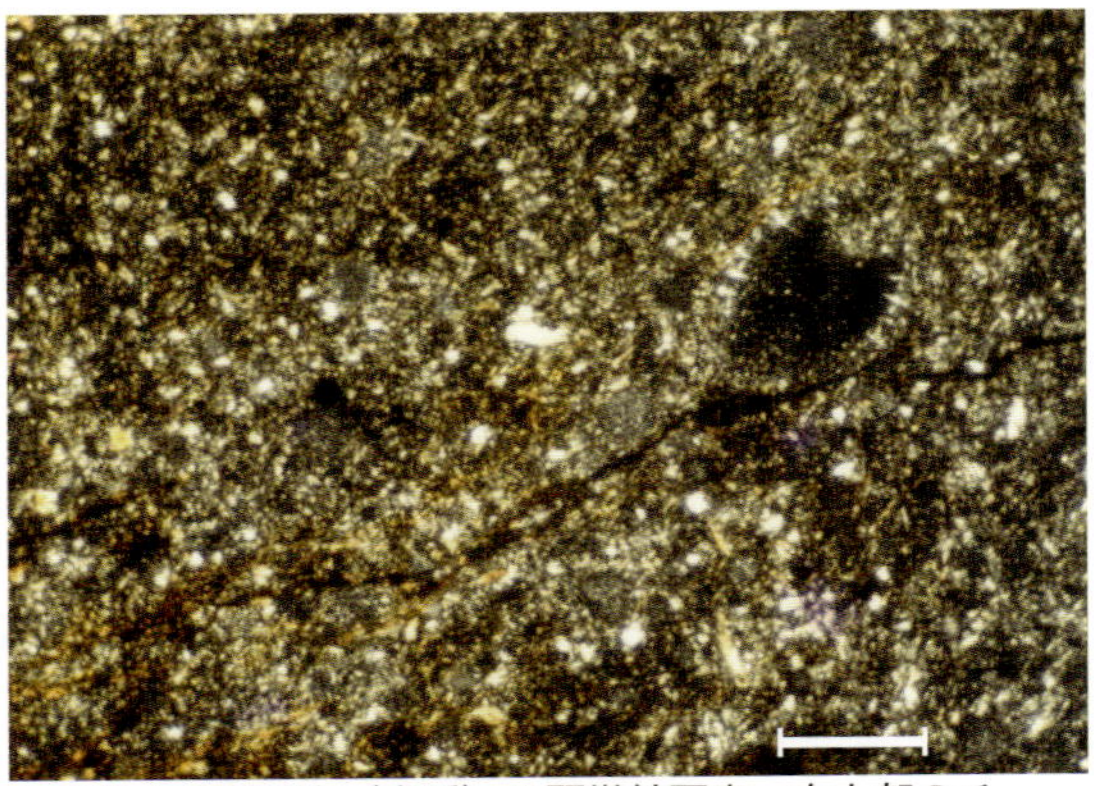

含放散虫珪質頁岩（青砥）の顕微鏡写真。右上部のチューリップ型映像は放散虫化石の断面（スケールは 0.1㎜）。

合砥及び青砥の堆積した場所（A）と海洋プレート層序（B）

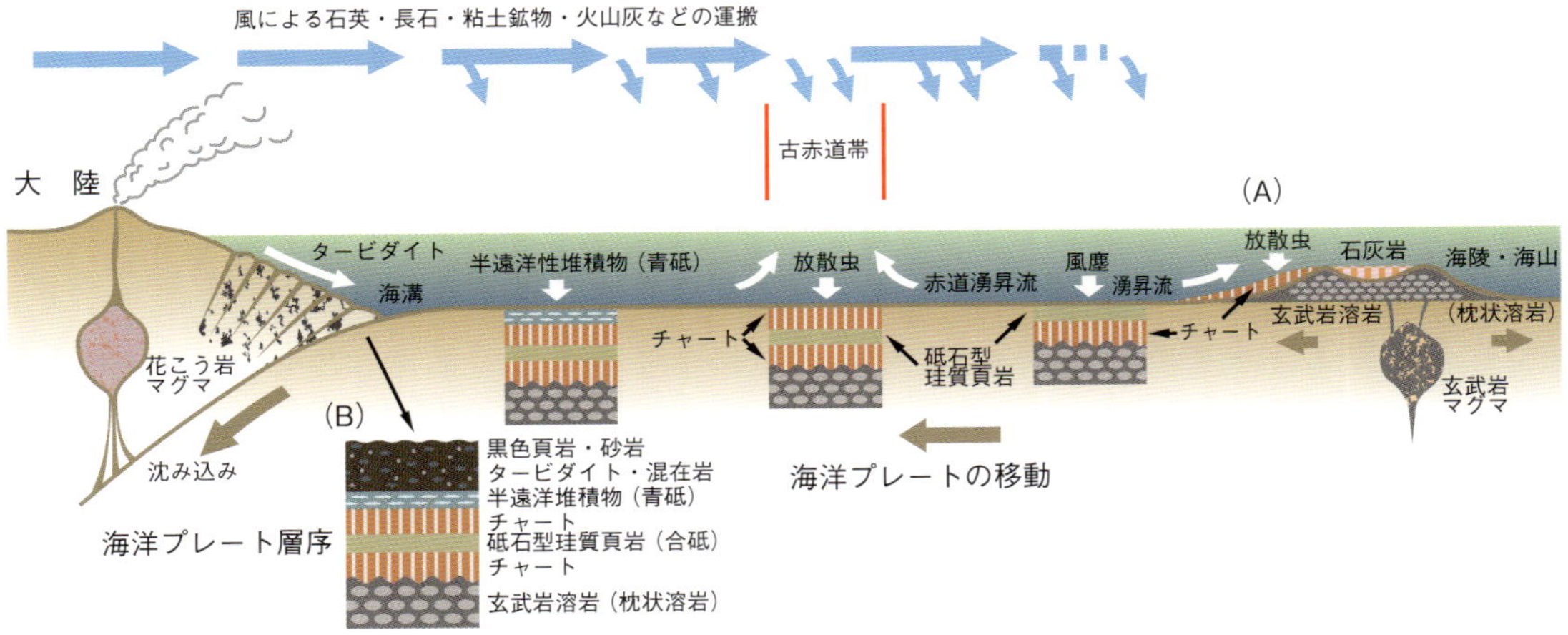

砥のさらに上位に堆積したと考えられており、合砥に比べて粒度が粗いことからもわかります（151ページの図及び写真参照）。

丹波帯の砥石は、陸側に押し付けられて、引き剥がされた砥石層が、西北西に断層を繰り返して上昇した構造となっています。

合石《あいいし》系統の長さは、弓削～富田で二十五㎞。本口《ほんくち》系統で鳴海～大内の延長が二十㎞となって、両系統の総延長は愛宕山を中心に、東西に五十㎞以上になります。両系統の区間距離は南北に二十㎞以上になります。

(7) 水の風化作用

風化作用とは、岩石が地表付近で安定な状態に移り変わる過程のことで、物理的風化、化学的風化、生物学的風化に大別され、合砥の形成過程では特に化学的風化作用が主に関わっていると考えられます。

岩石を構成する鉱物が、水和、加水分解、溶解、酸化など水との接触を通して変化し、常温下で安定な鉱物組織へと変化していきます。

山地が構成されてから以降、現在でも深部に大量に埋蔵されている砥石層は、極硬口の砥石であり、地山《ぢやま》に近い浅いところ、または断層の荒れ際では水と空気中の酸素による風化で、暗灰色《あんかいしょく》から黄、青、浅黄、白、赤などの色に変化し、硬さも格段に軟らかくなって研磨には適性な砥石となっています。

荒れ際は筋など夾《きょう》雑物が入り込むので取れ口（歩留まり）が悪くなりますが良い石が取れ、研磨に適していることの決め手になっています。

(8) 砥石層の種類

砥石層の種類は「砥石地層柱状図」のとおりです。筋などの挟雑物は、合石系統ではチャートに鉄分がないので少なく、本石系統では裏皮、ツケ（柾目）に鉄分を含むので筋は多いが板並みは良く、筋のない石は高級品として扱われます。

丹波帯中生代の砥石層は愛宕山を中心に東西50キロメートル以上と述べましたが、品質には地域によって当然微妙な差異があります。

3 研磨性能のメリット

(1) 砥石の組成

①砥粒は角が丸く、2～3ミクロンの石英の微粒子であり、硬度7、配合64％程度のものとなっています。

②砥粒を保持するための結合剤は、微細で滑らかなパウダー状の粘土鉱物、絹雲母（硬度1.5配合30％以上）で、潤滑剤（コロ）の役割をしています。

③特殊粘土成分、加水ハロイサイトのチューブ状の結晶から固有水分と粘りが提供されています。

④微細な気孔がフレーク状の結晶の間隙に無数に空いているため、吸水と保水が容易にできます。
また研磨削屑を逃すので目詰りや上滑りが起きません。

⑤成分、工業分析結果
珪素64％が砥粒の石英の主成分です。アルミニウムの16.7％は研磨性能には比較的影響がありません。
二酸化鉄3.12％、純鉄2.86％は皮肌筋などに多く、他の頁岩に比べて珪素、アルミニウムが少なくアルカリ分が多いという、粘土成分に特徴があります。

(2) 合砥の研磨性能

a 研ぎやすくて精密な刃がつく

①少量の水をかけるだけで研ぎ出しが容易にできます。目詰りや上滑りせず吸いつくような粘りが出て研ぎ味がよくなります。

②粒度の角が丸磨きされているため、刃先に付いた研磨の条痕を全部消してしまいます。

③粒度は破砕されて、より微細な粒子となり、刃先と砥面の間に入り込んだまま一層精密な刃に研ぎ上げることができます。(合成砥石の砥粒は速く研ぎおろすが、刃先の条痕が取れにくい)。

④包丁研ぎでは刃先に微妙な波型ができて鋭く切れ、長切れします。

b 硬化作用により切れ味の耐久性は抜群

①刃先が熱くなるまで研ぐと刃先を硬化する作用が強力になるため、返り刃(マクレ)は発生しにくくなりますが、できた返り刃は裏研ぎすると容易に取れます。

②長切れするので研ぎ直しの手間が省け、作業能率を高めると共に刃物の寿命が延びて長持ちします。

c 合砥独特の研磨効果で地金にも、鋼にも艶がでる

人造砥石は一般的に刃先を白光りさせますが、合砥を使った研磨では、地金にも鋼にもそれぞれ特徴を持った艶を出します。

①地肌の艶(地金の底黒い光沢)

②鋼の艶(刀剣の刃紋内曇り)

③刃先の艶消し(刃先のぼかし)

合砥石分析表

成　分	A	B	C	D	平均
	戸前	浅黄	戸前	巣板	
珪素SiO_2	61.66	64.02	64.75	65.64	64.02
チタンTiO_2	0.62	0.65	0.66	0.68	0.65
アルミニウムAL_2O_3	18.53	16.73	16.71	14.77	16.69
二酸化鉄Fe_2O_3	2.88	3.14	3.02	3.45	3.12
純鉄FeO	2.38	2.85	2.98	3.22	2.86
マンガンMnO	0.07	0.09	0.09	0.09	0.09
マグネシウムMgO	1.96	2.01	1.89	1.84	1.93
カルシウムCaO	1.52	1.72	1.66	1.64	1.64
ナトリウムNaO	2.63	2.55	2.38	2.25	2.45
カリウムK_2O	2.64	2.84	2.68	2.88	2.76
水H_2O	3.15	4.01	3.84	3.04	3.51
燐R_2O_5	0.13	0.15	0.62	0.17	0.27
合計	-	-	-	-	99.97

京都天然砥石の魅力（改訂・三版）より（昭和30年5月　科学研究所　理学博士　島 誠　提供）

4 砥石選択の手引き

京都天然砥石組合の記念誌による

天然砥石は刃物を研いでみて選ぶといいますが、基本的な知識は備えておきたいものです。ここでは合砥だけでなく、さまざまな天然砥石の基礎知識を紹介します。

(1) 砥粒の目について

①粗目　二四〇番以下

　粗砥…大村砥、笹口、平島

②中目　三〇〇〇番程度以下

　中砥…対馬、名倉、天草

③細目　三〇〇〇番～五〇〇〇番

　中砥…青砥

番手は刃先の条痕の深さの程度を表わしたものです。

天然砥石は研ぐほどに粒子が細かく潰れるので、条痕が浅くなり、一〇〇〇〇番～一五〇〇〇番にもなります。ただし、産地によってもばらつきがあるので、表示の統一を難しいも

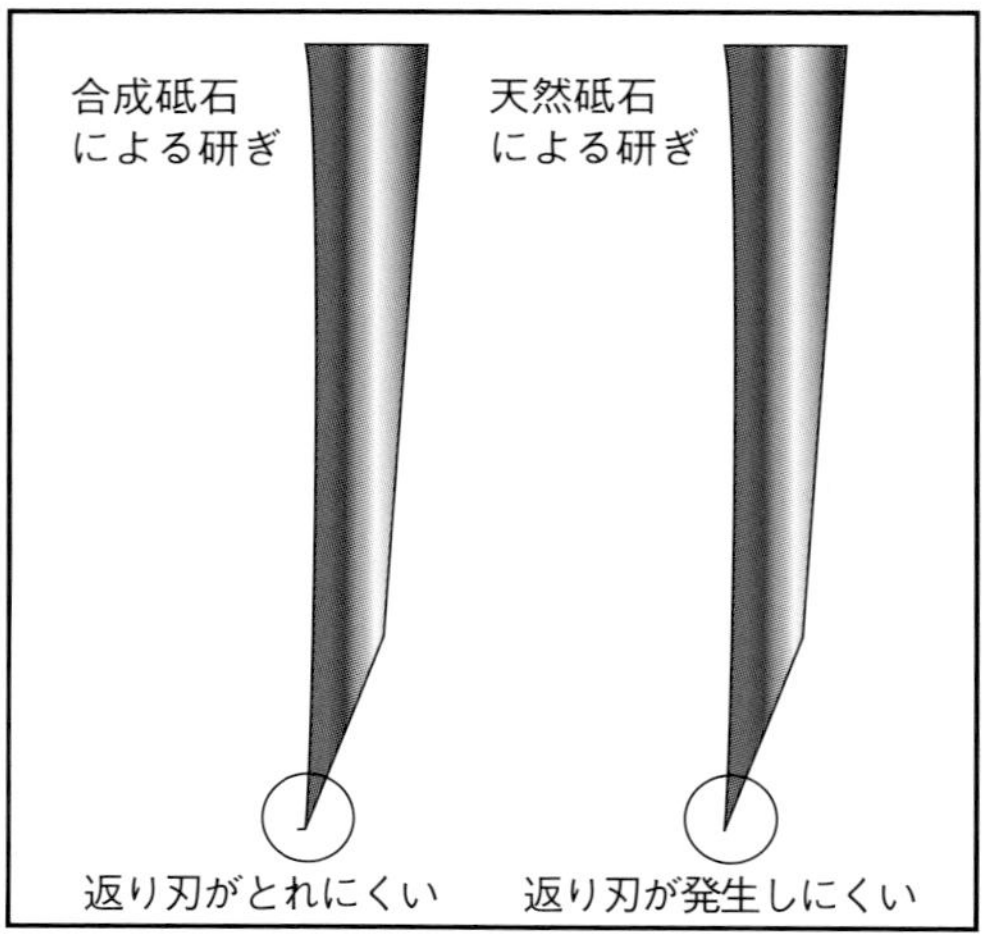

のにしています。

（注）大村砥…砂岩、和歌山県産
　笹口砥…砂岩、長崎県産
　平島砥…砂岩、長崎県産

（注）対馬砥（黒名倉砥）…頁岩、長崎県産。主に合砥の砥汁出し、砥面修正などに使用。
白名倉砥…凝灰岩、愛知県三輪村産。主に刀剣用の中研ぎ、合砥の砥汁出し、砥面修正などに使用。

天草砥…凝灰岩、熊本県産　荒砥に近い中砥石。虎砥と備水砥がある。

虎砥（赤）…主に農具・山林用具・包丁用として使用。

備水砥（上白）…主に刀剣用の中研ぎとして使用。

（注）青砥（丹波青砥）…粘板岩、京都府亀岡産。鉋、鑿等の中研ぎ、包丁には仕上げ用としても使用。青砥の後に合砥で研ぐと乗りがよく、仕上げ効果が大。

（2）天然砥石の用途別合わせ方

①刃物の硬度によって選ぶ
　焼入れ鍛造した炭素鋼製の打刃物は中研ぎに青砥、仕上げ研ぎに合砥が最適です。

　ステンレスなどの硬質刃物には、ダイヤモンド砥石、セラミック砥石等で研磨した後、刃先の調整に合砥が有効です。
②普通の打刃物のうち、硬い刃物には軟かい砥石、軟かい刃物には硬目の砥石を使うとよいです。どちらかといえば軟かい砥石の方が無難でしょう。

5　水の作用、天然砥石

刃物の研磨には、砥石にどんな条件が必要かを考えてみましょう。
①刃物より硬く、研磨の各段階に対応した砥粒が均等に分散して含まれていること。
②刃物を研磨するとき、進行につれて新しい砥粒が出現すること。つまり、研磨によって、砥石自体が適度に摩耗していくこと。
③通常は水である潤滑剤が保持されること。
などが挙げられます。合砥にはイライトの他に、加水ハロイサイトという粘土鉱物を含むことがあるという説もあり、合砥の保水性を高めることにかかわっている可能性が考えられます。

　合砥の見かけの比重は2.51～2.62で、砥石型珪質頁岩の2.59～2.76に比べて小さく、砥石が多孔質であり、保水性を増すことになります。こうしたことが合砥が水になじみやすく、水を潤滑剤として研磨できることにつながっているといえるでしょう。

　人工品の氾濫する現在、天然の合砥に勝る人造砥石が開発されていないのは、こうした悠久の自然界の中で、ほとんど偶然ともいえるような比重でつくり出されたものであり、人間の技術では到底つくりえないものだからかも知れません。

取材協力（順不同）

月山義髙刃物店（TEL0598-29-0352　http://www.tsukiyama.jp/）
（株）高橋楠（TEL072-238-6565）
晴間打刃物製作所
ノムラ刃物（TEL072-238-6974）
砥取家（TEL0771-26-2545　http://www.toishi.jp/）
日本研ぎ文化振興協会（TEL0771-25-5602　http://www.togi-bunka.com/organization.html）
研ぎ屋むらかみ（http://www.togiyamurakami.jp/）
北新地　ぬのや
ごはん屋東郷

写真・撮影協力（順不同）

長野電波技術研究所（P.74 日本山海名産図会より「砥石山」）http://www.i-apple.jp/
楽器工房 Kiyond 田中清人（P.75 明治前期産業発達史資料）http://www6.ocn.ne.jp/~kiyond/
ミクロワールドサービス　奥　修（P.106）http://micro.sakura.ne.jp/mws/
越後尚亮（P.111 若狭砥石）

砥石協力（順不同）

渡部誠二（P77 ～ 87）
村島一馬、濱浦安治、五十嵐正雄、後藤教勝、久納真司、柴田憲一（P74 ～ 87）

参考図書

京都天然砥石の魅力　改訂・三版（京都天然砥石組合 編）
天然砥石物語　久我 睦男（自費出版）
包丁と砥石（柴田書店）
包丁を極める（スタジオタッククリエイティブ）
大工道具・砥石と研ぎの技法（誠文堂新光社）
砥石と包丁の技法（誠文堂新光社）
包丁大全（ワールドフォトプレス）

包丁と砥石大全

編集
高島　豊

写真
山口祐康

デザイン
山口　豊

装丁
谷元将泰

包丁《ほうちょう》と砥石《といし》の種類《しゅるい》、研《と》ぎの実践《じっせん》を網羅《もうら》した決定版《けっていばん》!
包丁《ほうちょう》と砥石《といし》大全《たいぜん》

2014年 8月24日　発　行　　NDC581
2022年 7月 1日　第5刷

監　修　一般社団法人《いっぱんしゃだんほうじん》　日本研《にほんと》ぎ文化振興協会《ぶんかしんこうきょうかい》
発行者　小川雄一
発行所　株式会社 誠文堂新光社
〒113-0033　東京都文京区本郷3-3-11
電話03-5800-5780
https://www.seibundo-shinkosha.net/
印刷・製本　図書印刷 株式会社

ISBN978-4-416-71406-5